Lecture Notes in Mathematics

A collection of informal reports and seminars
Edited by A. Dold, Heidelberg and B. Eckmann, Zürich

5

Jean-Pierre Serre
Collège de France, Paris/France

Cohomologie Galoisienne

Cours au Collège de France, 1962–1963
Quatrième Edition

Springer-Verlag
Berlin · Heidelberg · New York 1973

AMS Subject Classifications (1970): 12 B 20

ISBN 3-540-06084-7 Springer-Verlag Berlin · Heidelberg · New York
ISBN 0-387-06084-7 Springer-Verlag New York · Heidelberg · Berlin

ISBN 3-540-03349-1 3. Auflage Springer-Verlag Berlin · Heidelberg · New York
ISBN 0-387-03349-1 3rd edition Springer-Verlag New York · Heidelberg · Berlin

This work is subject to copyright. All rights are reserved, whether the whole or part of the material is concerned, specifically those of translation, reprinting, re-use of illustrations, broadcasting, reproduction by photocopying machine or similar means, and storage in data banks.

Under § 54 of the German Copyright Law where copies are made for other than private use, a fee is payable to the publisher, the amount of the fee to be determined by agreement with the publisher.

© by Springer Verlag Berlin · Heidelberg 1973. Library of Congress Catalog Card Number 72-96043. Printed in Germany.

Offsetdruck: Julius Beltz, Hemsbach/Bergstr.

QA
3
428
no 5
1973

INTRODUCTION A LA PREMIÈRE ÉDITION

Ces notes reproduisent avec quelques modifications un cours fait au Collège de France pendant l'année 1962-1963. On y trouvera également un texte inédit de TATE (Annexe au Chap.I), et un autre de VERDIER, tous deux consacrés à la dualité des groupes profinis.
Une rédaction préliminaire de ces notes, due à Michel RAYNAUD, m'a été très utile ; je l'en remercie vivement.

INTRODUCTION A LA QUATRIÈME ÉDITION

Cette édition est la reproduction photographique de la première, corrigée, et augmentée de trois pages de <u>Suppléments</u>, donnant des indications sur quelques résultats récents.

Jean-Pierre Serre

TABLE DES MATIÈRES

Chapitre I. COHOMOLOGIE DES GROUPES PROFINIS

Chapitre II. COHOMOLOGIE GALOISIENNE - CAS COMMUTATIF

Chapitre III. COHOMOLOGIE GALOISIENNE NON COMMUTATIVE

DUALITÉ DANS LA COHOMOLOGIE DES GROUPES PROFINIS

(par Jean-Louis VERDIER)

Chapitre I

COHOMOLOGIE DES GROUPES PROFINIS

§ 1. Groupes pro-finis

1.1. Définition.

On appelle groupe profini un groupe topologique qui est limite projective de groupes finis (munis chacun de la topologie discrète). Un tel groupe est compact et totalement discontinu. Réciproquement, si G est compact et totalement discontinu, G possède une base de voisinages de 1 formée de sous-groupes ouverts distingués U, et G s'identifie à $\varprojlim G/U$, ce qui montre que G est profini.

Les groupes profinis forment une catégorie (les morphismes étant les homomorphismes continus) où les produits infinis et les limites projectives existent.

Exemples : 1) Soit L/K une extension galoisienne de corps commutatifs. Le groupe de Galois $G(L/K)$ de cette extension est, par construction même, limite projective des groupes de Galois $G(L_i/K)$ des extensions galoisiennes finies L_i/K contenues dans L/K ; c'est donc un groupe profini.

2) Un groupe analytique compact sur le corps p-adique $\mathbf{Q}_p$ est profini (en tant que groupe topologique). En particulier, $SL_n(\mathbf{Z}_p)$, $Sp_n(\mathbf{Z}_p)$,... sont des groupes profinis.

3) Soit G un groupe discret, et soit $\hat{G}$ la limite projective des quotients finis de G. Le groupe $\hat{G}$ est appelé le groupe profini associé à G ; c'est le séparé complété de G pour la topologie définie par les sous-groupes de G d'indice fini ; en particulier, le noyau de $G \to \hat{G}$ est l'intersection

des sous-groupes d'indice fini de G.

1.2. Sous-groupes.

Tout sous-groupe fermé H d'un groupe profini G est profini. De plus, le quotient G/H est compact totalement discontinu.

PROPOSITION 1. *Si* H *et* K *sont deux sous-groupes fermés du groupe profini* G, *avec* $H \supset K$, *il existe une section continue* $s : G/H \to G/K$.

On va utiliser deux lemmes :

LEMME 1. *Soit* G *un groupe compact et soit* (S_i) *une famille filtrante décroissante de sous-groupes fermés. Soit* $S = \bigcap S_i$. *L'application canonique*

$$G/S \to \varprojlim G/S_i$$

est alors un homéomorphisme.

En effet, cette application est injective, et son image est dense ; comme l'espace de départ est compact, le lemme en résulte. (On aurait pu aussi invoquer Bourbaki, *Top. Gén.*, Chap. III, 3ème édit., § 7, n°2, cor. 3 à la pro. 1).

LEMME 2. *La proposition* 1 *est vraie lorsque* H/K *est fini. Si de plus* H *et* K *sont distingués dans* G, *l'extension*

$$1 \to H/K \to G/K \to G/H \to 1$$

est triviale au-dessus d'un sous-groupe ouvert de G/H.

Soit U un sous-groupe ouvert distingué de G tel que $U \cap H \subset K$. La restriction de la projection $G/K \to G/H$ à l'image de U est alors injective (et c'est un homomorphisme lorsque H et K sont distingués, ce qui démontre la deuxième partie du lemme). Son application réciproque est donc une section sur l'image de U (qui est ouverte) ; on la prolonge en une section sur G/H tout entier par translation.

On peut maintenant démontrer la proposition 1 : Soit X l'ensemble des couples (S, s) où S est un sous-groupe fermé de G tel que $K \subset S \subset H$, et où s est une section continue $s : G/H \to G/S$. On ordonne X de façon évidente. Cet ensemble est inductif (lemme 1), et on déduit facilement du lemme 2 qu'un élément maximal (S, s) de X est tel que $S = K$. La proposition 1 résulte alors du théorème de Zorn.

1.3. Indices.

On appelle nombre surnaturel un produit formel $\prod p^{n_p}$, où p parcourt l'ensemble des nombres premiers, et où n_p est un entier $\geqslant 0$ ou $+\infty$. On définit de manière évidente le produit, le pgcd et le ppcm d'une famille quelconque de nombres surnaturels.

Soit G un groupe profini, et soit H un sous-groupe fermé de G. On définit l'indice $(G : H)$ de H dans G comme le ppcm des indices $(G/U : H/(H \cap U))$, pour U parcourant l'ensemble des sous-groupes ouverts distingués de G. On voit facilement que c'est aussi le ppcm des indices $(G : V)$ pour V ouvert contenant H.

PROPOSITION 2. (i) Si $K \subset H \subset G$ sont des groupes profinis, on a

$$(G : K) = (G : H).(H : K).$$

(ii) Si (H_i) est une famille filtrante décroissante de sous-groupes fermés de G, et si $H = \bigcap H_i$, on a $(G : H) = \text{ppcm}.(G : H_i)$.

(iii) Pour que H soit ouvert dans G, il faut et il suffit que $(G : H)$ soit un nombre naturel (i.e. un élément de $\underline{\underline{N}}$).

Démontrons (i) : si U est ouvert distingué dans G, posons $G_U = G/U$, $H_U = H/(H \cap U)$, $K_U = K/(K \cap U)$. On a $G_U \supset H_U \supset K_U$, d'où

$$(G_U : K_U) = (G_U : H_U).(H_U : K_U).$$

On a par définition $\text{ppcm.}(G_U : K_U) = (G : K)$ et $\text{ppcm.}(G_U : H_U) = (G : H)$. D'autre part, les $H \cap U$ sont cofinaux dans l'ensemble des sous-groupes ouverts distingués de H ; il en résulte que $\text{ppcm.}(H_U : K_U) = (H : K)$, d'où (i).

Les assertions (ii) et (iii) sont immédiates.

Noter qu'en particulier on pourra parler de l'<u>ordre</u> $(G : 1)$ d'un groupe profini G.

1.4. <u>Pro-p-groupes et p-groupes de Sylow</u>.

Soit p un nombre premier. Un groupe profini H est appelé un <u>pro-p-groupe</u> si c'est une limite projective de p-groupes, ou, ce qui revient au même, si son ordre est une puissance de p (finie ou infinie, bien entendu). Si G est un groupe profini, un sous-groupe H de G est appelé un p-groupe de Sylow de G si c'est un pro-p-groupe et si $(G : H)$ est premier à p.

PROPOSITION 3. <u>Tout groupe profini</u> G <u>possède des</u> p-<u>groupes de Sylow, et ceux-ci sont conjugués</u>.

On utilise le lemme suivant (Bourbaki, <u>Top. Gén</u>., Chap.I, 3ème édit., Appendice, th.1) :

LEMME 3. <u>Une limite projective d'ensembles finis non vides est non vide</u>.

Soit X la famille des sous-groupes ouverts distingués de G. Si $U \in X$, soit $P(U)$ l'ensemble des p-groupes de Sylow du groupe fini G/U. En appliquant le lemme 3 au système projectif des $P(U)$, on obtient une famille cohérente H_U de p-groupes de Sylow des G/U, et l'on vérifie aisément que $H = \varprojlim H_U$ est un p-groupe de Sylow de G, d'où la première partie de la proposition. De même, si H et H' sont deux p-groupes de Sylow de G, soit $Q(U)$ l'ensemble des $x \in G/U$ qui transforment l'image de H dans celle de H' ; en appliquant le lemme 3 aux $Q(U)$, on voit que $\varprojlim Q(U) \neq \emptyset$, d'où un $x \in G$ tel que $xHx^{-1} = H'$.

On démontre par le même genre d'arguments :

PROPOSITION 4. (a) Tout pro-p-groupe de G est contenu dans un p-groupe de Sylow de G.

(b) Si $G \to G'$ est un morphisme surjectif, l'image d'un p-groupe de Sylow de G est un p-groupe de Sylow de G'.

Exemples.

(1) Le groupe $\hat{\mathbb{Z}}$ a pour p-groupe de Sylow le groupe $\mathbb{Z}_p$ des entiers p-adiques.

(2) Si G est analytique compact sur $\mathbb{Q}_p$, les p-groupes de Sylow de G sont ouverts (cela résulte de la structure locale bien connue de ces groupes). L'ordre de G est donc le produit d'un entier naturel par une puissance de p.

(3) Soit G un groupe discret. La limite projective des quotients de G qui sont des p-groupes est un pro-p-groupe, noté $\hat{G}_p$, et appelé le p-complété de G ; c'est aussi le plus grand quotient de $\hat{G}$ qui soit un pro-p-groupe.

Exercice.

Soit k un noeud dans $\mathbb{R}^3$, et soit $G = \pi_1(\mathbb{R}^3 - k)$ le "groupe du noeud k ". Montrer que le p-complété de G est isomorphe à $\mathbb{Z}_p$.

1.5. Pro-p-groupes libres.

Soit I un ensemble, et soit $L(I)$ le groupe discret libre engendré par des éléments x_i indexés par I. Soit X la famille des sous-groupes distingués M de $L(I)$ tels que :

a) $L(I)/M$ est un p-groupe fini,

b) M contient presque tous les x_i (i.e. tous sauf un nombre fini).

Posons $F(I) = \varprojlim . L(I)/M$. Le groupe $F(I)$ est un pro-p-groupe que l'on appelle le <u>pro-p-groupe libre</u> engendré par les x_i. L'adjectif "libre" est justifié par le résultat suivant :

PROPOSITION 5. *Si G est un pro-p-groupe, les morphismes de F(I) dans G correspondent bijectivement aux familles $(g_i)_{i\in I}$ d'éléments de G qui tendent vers zéro suivant le filtre des complémentaires des parties finies.*

De façon plus précise, on associe à un morphisme $f : F(I) \longrightarrow G$ la famille $(g_i) = (f(x_i))$. Le fait que la correspondance ainsi obtenue soit bijective est immédiat.

<u>Remarque</u>.

A côté de F(I), on peut définir le groupe $F_s(I)$ limite projective des L(I)/M pour les M vérifiant seulement a). C'est le p-complété de L(I) ; les morphismes de $F_s(I)$ dans un pro-p-groupe G correspondent bijectivement aux familles <u>quelconques</u> $(g_i)_{i\in I}$ d'éléments de G. On verra plus loin que $F_s(I)$ est <u>libre</u>, c'est-à-dire isomorphe à un F(J) , pour J convenable.

Lorsque $I = [1,n]$, on écrit F(n) à la place de F(I) ; le groupe F(n) est le <u>pro-p-groupe libre de rang</u> n. On a $F(0) = \{1\}$ et F(1) est isomorphe au groupe additif $\underline{\underline{Z}}_p$. On va donner une représentation explicite du groupe F(n):

Soit A(n) l'algèbre des séries formelles associatives (non nécessairement commutatives) en n indéterminées $t_1,\ldots,t_n$, à coefficients dans $\underline{\underline{Z}}_p$ (c'est ce que Lazard appelle "l'algèbre de Magnus"). [Le lecteur qui n'aime pas les séries formelles "non nécessairement commutatives" définira A(n) comme un complété de l'algèbre tensorielle du $\underline{\underline{Z}}_p$-module $(\underline{\underline{Z}}_p)^n$.] Muni de la topologie de la convergence simple des coefficients, A(n) est un anneau topologique compact. Soit U le groupe multiplicatif des éléments de A de terme constant égal à 1. On vérifie aisément que U est un pro-p-groupe. Comme U contient les éléments $1 + t_i$, la proposition 5 montre qu'il existe un morphisme $\Theta: F(n) \to U$ qui applique x_i sur $1 + t_i$ pour tout i.

PROPOSITION 6 (Lazard). Le morphisme $\Theta: F(n) \to U$ est injectif.

[On peut donc identifier F(n) au sous-groupe fermé de U engendré par les $1 + t_i$.]

On démontre même un résultat plus fort. Pour l'énoncer, convenons d'appeler algèbre d'un pro-p-groupe G la limite projective des algèbres des quotients finis de G , à coefficients dans $\mathbb{Z}_p$; cette algèbre sera notée $\mathbb{Z}_p[[G]]$. On a :

PROPOSITION 7. Il existe un isomorphisme continu α de $\mathbb{Z}_p[[F(n)]]$ sur A(n) qui transforme x_i en $1 + t_i$.

On définit sans difficultés l'homomorphisme $\alpha : \mathbb{Z}_p[[F(n)]] \to A(n)$. D'autre part, soit I l'idéal d'augmentation de $\mathbb{Z}_p[[F(n]]$; les propriétés élémentaires des p-groupes finis montrent que les puissances de l'idéal I tendent vers 0. Comme les $x_i - 1$ appartiennent à I, on en déduit qu'il existe un homomorphisme continu

$$\beta : A(n) \to \mathbb{Z}_p[[F(n)]]$$

qui applique t_i sur $x_i - 1$. Il n'y a plus alors qu'à vérifier que $\alpha \circ \beta = 1$ et $\beta \circ \alpha = 1$, ce qui est immédiat. D'où ... etc.

Remarques.

1) Lorsque n = 1, la proposition 7 montre que l'algèbre du groupe $\Gamma = \mathbb{Z}_p$ est isomorphe à l'algèbre $\mathbb{Z}_p[[T]]$, laquelle est un excellent anneau local régulier de dimension 2. C'est là le point de départ de l'étude faite par Iwasawa, des " Γ-modules".

2) On trouvera dans la thèse de Lazard [L] une étude détaillée de $F(n)$, basée sur les propositions 6 et 7. Par exemple, si l'on filtre $A(n)$ par les puissances de l'idéal d'augmentation I, la filtration induite sur $F(n)$ est celle de la suite centrale descendante, et le gradué associé est la $\mathbb{Z}_p$-algèbre de Lie libre engendrée par les classes T_i des t_i. La filtration définie par les puissances de (p,I) est également intéressante.

§ 2. Cohomologie

2.1. Les G-modules discrets.

Soit G un groupe profini. Les groupes abéliens discrets sur lesquels G opère continûment forment une catégorie abélienne C_G, qui est une sous-catégorie pleine de la catégorie de tous les G-modules. Dire qu'un G-module A appartient à C_G signifie que le stabilisateur de tout élément de A est ouvert dans G, ou encore que l'on a :

$$A = \bigcup A^U ,$$

lorsque U parcourt l'ensemble des sous-groupes ouverts de G (comme d'habitude, A^U désigne le sous-groupe de A formé des éléments invariants par U).

Un élément A de C_G sera appelé un G-module discret (ou même simplement un G-module si aucune confusion ne peut en résulter). C'est pour ces modules que la cohomologie de G va être définie.

2.2. Cochaînes, cocycles, cohomologie.

Soit $A \in C_G$. Nous noterons $C^n(G,A)$ l'ensemble des applications continues de G^n dans A (noter que, puisque A est discret, "continue" équivaut à "localement constante"). On définit le cobord

$$d : C^n(G,A) \longrightarrow C^{n+1}(G,A)$$

par la formule usuelle

$$(df)(g_1,\ldots, g_{n+1}) = g_1.f(g_2,\ldots, g_{n+1}) + \sum_{i=1}^{i=n} (-1)^i f(g_1,\ldots, g_i g_{i+1},\ldots, g_{n+1})$$

$$+ (-1)^{n+1} f(g_1,\ldots, g_n).$$

On obtient ainsi un complexe $C^{\bullet}(G,A)$ dont les groupes de cohomologie $H^q(G,A)$ sont appelés les groupes de cohomologie de G à coefficients dans A. Lorsque G est fini, on retrouve la définition habituelle de la cohomologie des groupes finis ; le cas général peut d'ailleurs se ramener à celui-là, grâce à la proposition suivante :

PROPOSITION 8. *Soit* (G_i) *un système projectif de groupes profinis, et soit* (A_i) *un système inductif de* G_i*-modules discrets* (les homomorphismes $A_i \to A_j$ étant compatibles en un sens évident avec les morphismes $G_j \to G_i$). *Posons* $G = \varprojlim G_i$, $A = \varinjlim A_i$. *On a alors*

$$H^q(G,A) = \varinjlim H^q(G_i, A_i) \quad \textit{pour tout} \quad q \geqslant 0.$$

En effet, on voit sans difficultés que l'homomorphisme canonique

$$\varinjlim C^{\bullet}(G_i, A_i) \longrightarrow C^{\bullet}(G, A)$$

est un isomorphisme, d'où le résultat en passant à l'homologie.

COROLLAIRE 1. *Soit* A *un* G*-module discret. On a* :

$$H^q(G, A) = \varinjlim H^q(G/U, A^U) \quad \textit{pour tout} \quad q \geqslant 0 ,$$

lorsque U *parcourt l'ensemble des sous-groupes ouverts distingués de* G.

En effet, $G = \varprojlim G/U$ et $A = \varinjlim A^U$.

COROLLAIRE 2. *Soit* A *un* G*-module discret. On a* :

$$H^q(G, A) = \varinjlim H^q(G, B) \quad \underline{\text{pour tout}} \quad q \geqslant 0$$

lorsque B parcourt l'ensemble des sous-G-modules de type fini de A.

En effet, on a $A = \varinjlim B$.

COROLLAIRE 3. Pour $q \geqslant 1$, les groupes $H^q(G, A)$ sont des groupes de torsion.

Lorsque G est fini, ce résultat est classique. Le cas général s'en déduit, grâce au corollaire 1.

On pourra donc facilement se ramener au cas des groupes finis qui est bien connu (voir par exemple Cartan-Eilenberg (cité [M] dans ce qui suit), ou "Corps Locaux" (cité [CL])). On en déduit par exemple que les $H^q(G, A)$ sont nuls, pour $q \geqslant 1$, lorsque A est un injectif de C_G (les A^U étant alors injectifs sur les G/U). Comme la catégorie C_G a suffisamment d'injectifs (mais pas de projectifs !), on voit que les $H^q(G, \ )$ sont les foncteurs dérivés du foncteur A^G, comme il se doit.

2.3. Basses dimensions.

$H^0(G, A) = A^G$, comme d'habitude.

$H^1(G, A)$ est le groupe des classes d'homomorphismes croisés continus de G dans A.

$H^2(G, A)$ est le groupe des classes de systèmes de facteurs continus de G dans A. Si A est fini, c'est aussi le groupe des classes d'extensions de G par A (démonstration standard, reposant sur l'existence d'une section continue, démontrée au n° 1.2).

Remarque.

Ce dernier exemple suggère de définir les $H^q(G, A)$ lorsque A est un G-module topologique quelconque, en partant de cochaînes continues. Ce genre de cohomologie se rencontre effectivement dans les applications ; nous en verrons un exemple plus tard.

2.4. Fonctorialité.

Soient G et G' deux groupes profinis, et soit $f : G \to G'$ un morphisme. Soient $A \in C_G$, $A' \in C_{G'}$. On a la notion de morphisme $h : A' \to A$ compatible avec f (c'est un G-morphisme, lorsqu'on regarde A' comme un G-module au moyen de f). Un tel couple (f,h) définit par passage à la cohomologie des homomorphismes

$$H^q(G', A') \to H^q(G, A), \quad q \geqslant 0 .$$

Ceci s'applique notamment lorsque H est un sous-groupe fermé de G, et que $A = A'$ est un G-module discret ; on obtient les homomorphismes de restriction

$$\mathrm{Res} : H^q(G, A) \to H^q(H, A), \quad q \geqslant 0 .$$

Lorsque H est d'indice fini n dans G, on définit (par exemple, par passage à la limite à partir des groupes finis) les homomorphismes de corestriction

$$\mathrm{Cor} : H^q(H, A) \to H^q(G, A) .$$

On a $\mathrm{Cor} \circ \mathrm{Res} = n$, d'où :

PROPOSITION 9. *Si* $(G : H) = n$, *le noyau de* $\mathrm{Res} : H^q(G, A) \to H^q(H, A)$ *est annulé par* n.

COROLLAIRE. *Si* $(G : H)$ *est premier à* p, Res *est injectif sur la composante* p-*primaire de* $H^q(G, A)$.

[Ce corollaire s'applique notamment au cas où H est le p-groupe de Sylow de G.]

Lorsque $(G : H)$ est fini, le corollaire résulte directement de la proposition précédente. On se ramène à ce cas en écrivant H comme intersection de sous-groupes ouverts, et appliquant la proposition 8.

2.5. Modules induits.

Soit H un sous-groupe fermé du groupe profini G, et soit $A \in C_H$. Le module induit $A^* = M_G^H(A)$ est défini comme l'ensemble des applications continues a^* de G dans A telles que $a^*(hx) = h.a^*(x)$ si $h \in H$, $x \in G$. Le groupe G opère sur A^* par la formule :

$$(ga^*)(x) = a^*(xg) .$$

Pour $H = \{1\}$, on écrit $M_G A$; les G-modules ainsi obtenus sont appelés induits ("co-induits" dans la terminologie de [CL]).

Si l'on associe à tout $a^* \in M_G^H(A)$ sa valeur au point 1, on obtient un homomorphisme $M_G^H(A) \rightarrow A$ qui est compatible avec l'injection de H dans G (cf. n° 2.4) ; d'où des homomorphismes

$$H^q(G, M_G^H(A)) \rightarrow H^q(H, A) .$$

PROPOSITION 10. *Les homomorphismes* $H^q(G, M_G^H(A)) \rightarrow H^q(H, A)$ *définis ci-dessus sont des isomorphismes.*

On note d'abord que, si $B \in C_G$, on a $\mathrm{Hom}^G(B, M_G^H(A)) = \mathrm{Hom}^H(B, A)$. On en tire le fait que le foncteur M_G^H transforme injectifs en injectifs. Comme d'autre part il est exact, la proposition en résulte, par un théorème de comparaison standard.

COROLLAIRE. *La cohomologie d'un module induit est nulle en dimensions* ≥ 1.

C'est le cas particulier $H = \{1\}$

La proposition 10 (parfois appelée "théorème de Shapiro") est très utile : elle permet de ramener la cohomologie d'un sous-groupe à celle du groupe. Indiquons comment on peut, de ce point de vue, retrouver les homomorphismes Res et Cor :

(a) Si $A \in C_G$, on définit un homomorphisme injectif

$$i : A \longrightarrow M_G^H(A)$$

en posant :

$$i(a)(x) = x.a \ .$$

Par passage à la cohomologie, on vérifie tout de suite que l'on obtient la <u>restriction</u>

$$\mathrm{Res} : H^q(G, A) \longrightarrow H^q(G, M_G^H(A)) = H^q(H, A) \ .$$

[Pour $H = \{1\}$, on a donc obtenu un <u>foncteur d'effacement</u>, souvent utile.]

(b) Supposons H d'indice fini dans G, et soit $A \in C_G$. On définit un G-homomorphisme surjectif

$$\pi : M_G^h(A) \longrightarrow A$$

en posant :

$$\pi(a^*) = \sum_{x \in G/H} x.a^*(x^{-1}) \ ,$$

formule qui a un sens puisque $x.a^*(x^{-1})$ ne dépend que de la classe de x mod.H. Par passage à la cohomologie, π donne la <u>corestriction</u>

$$\mathrm{Cor} : H^q(H, A) = H^q(G, M_G^H(A)) \longrightarrow H^q(G, A) \ .$$

En effet, c'est là un morphisme de foncteurs cohomologiques qui coïncide avec la norme en dimension zéro.

<u>Exercice</u>.

On suppose H <u>distingué</u> dans G. Si $A \in C_G$, on fait opérer G sur $M_G^H(A)$ en posant

$$^{g}a^*(x) = g.a^*(g^{-1}x).$$

Montrer que H opère trivialement, ce qui permet de considérer que G/H opère sur $M_G^H(A)$; montrer que les opérations ainsi définies <u>commutent</u> aux opérations de G définies dans le texte. En déduire, pour chaque entier q, une opération de G/H sur $H^q(G, M_G^H(A)) = H^q(H, A)$. Montrer que cette opération coïncide avec l'opération naturelle (cf. n° suivant).

Montrer que $M_G^H(A)$ est isomorphe à $M_{G/H}(A)$. En déduire, lorsque $(G : H)$ est fini, les formules :

$$H_o(G/H, M_G^H(A)) = A \quad \text{et} \quad H_i(G/H, M_G^H(A)) = 0 \quad \text{pour } i \geqslant 1 .$$

2.6. <u>Compléments</u>.

On laisse au lecteur le soin de traiter les points suivants (qui seront utilisés dans la suite) :

a) <u>Cup produits</u>.

Propriétés variées, notamment par rapport aux suites exactes. Formulaire :

$$\mathrm{Res}(x.y) = \mathrm{Res}(x).\mathrm{Res}(y)$$

$$\mathrm{Cor}(x.\mathrm{Res}(y)) = \mathrm{Cor}(x).y .$$

b) <u>Suite spectrale des extensions de groupes</u>.

Si H est un sous-groupe distingué fermé de G, et si $A \in C_G$, le groupe G/H opère de façon naturelle sur les $H^q(H, A)$, et ces opérations sont continues. On a une suite spectrale :

$$H^p(G/H, H^q(H, A)) \Longrightarrow H^n(G, A) .$$

En basses dimensions, cela donne la suite exacte :

$$0 \to H^1(G/H, A^H) \to H^1(G,A) \to H^1(H, A)^{G/H} \to H^2(G/H, A^H) \to H^2(G, A) .$$

<u>Exercices</u> (relations entre cohomologie des groupes discrets et des groupes profinis).

1. Soit G un groupe discret, et soit $G \to K$ un homomorphisme de G dans un groupe profini K. On suppose que l'image de G est <u>dense</u> dans K. Pour tout $M \in C_K$, on a des homomorphismes

$$H^q(K, M) \to H^q(G, M) , \qquad q \geqslant 0 .$$

On se bornera à la sous-catégorie $C_K^!$ de C_K formé des M finis.

a) Montrer l'équivalence des quatre propriétés suivantes :

A_n . $H^q(K, M) \to H^q(G, M)$ <u>est bijectif pour</u> $q \leqslant n$ <u>et injectif pour</u> $q = n+1$ (quel que soit $M \in C_K^!$).

B_n . $H^q(K, M) \to H^q(G, M)$ <u>est surjectif pour tout</u> $q \leqslant n$.

C_n . <u>Pour tout</u> $x \in H^q(G, M)$, $1 \leq q \leqslant n$, <u>il existe un</u> $M' \in C_K$ <u>contenant</u> M <u>tel que</u> x <u>donne</u> 0 <u>dans</u> $H^q(G, M')$.

D_n . <u>Pour tout</u> $x \in H^q(G, M)$, $1 \leqslant q \leqslant n$, <u>il existe un sous-groupe</u> G_0 <u>de</u> G , <u>image réciproque d'un sous-groupe ouvert de</u> K , <u>tel que</u> x <u>induise zéro dans</u> $H^q(G_0, M)$.

[Les implications $A_n \Rightarrow B_n \Rightarrow C_n$ sont immédiates, de même que $B_n \Rightarrow D_n$. L'implication $C_n \Rightarrow A_n$ se démontre par récurrence par n . Enfin, $D_n \Rightarrow C_n$ se démontre en prenant pour M' le module induit $M_G^{G_0}(M)$.]

b) Montrer que $A_0, \ldots, D_0$ est toujours vrai. Montrer que, si K est égal au groupe profini $\hat{G}$ associé à G, les propriétés $A_1, \ldots, D_1$ sont vraies.

c) On prend pour G le groupe discret $\underline{\underline{PGL}}(2, \underline{\underline{C}})$; montrer que $\hat{G} = \{1\}$ et que $H^2(G, \underline{\underline{Z}}/2\underline{\underline{Z}}) \neq 0$ (utiliser l'extension de G fournie par $\underline{\underline{SL}}(2, \underline{\underline{C}})$).

En déduire que G ne vérifie pas A_2 .

d) Soit K_o un sous-groupe ouvert de K , et G_o son image réciproque dans G. Montrer que, si $G \to K$ vérifie A_n , il en est de même de $G_o \to K_o$, et réciproquement.

2. [Dans ce qui suit, on dira que "G vérifie A_n" si l'application canonique $G \to \hat{G}$ vérifie A_n . Un groupe sera dit "bon" s'il vérifie A_n pour tout n.]

Soit $E/N = G$ une extension d'un groupe G vérifiant A_2 .

a) On suppose d'abord N <u>fini</u>. Soit I le commutant de N dans E. Montrer que I est d'indice fini dans E ; en déduire que $I/(I \cap N)$ vérifie A_2 (appliquer 1, d)), puis qu'il existe un sous-groupe E_o d'indice fini de E tel que $E_o \cap N = \{1\}$.

b) On suppose à partir de maintenant que N est <u>de type fini</u>. Montrer (en utilisant a)) que tout sous-groupe d'indice fini de N contient un sous-groupe de la forme $E_o \cap N$, où E_o est d'indice fini dans E. En déduire une suite exacte :

$$1 \to \hat{N} \to \hat{E} \to \hat{G} \to 1 .$$

c) On suppose en outre que N et G sont bons, et que les $H^q(N, M)$ sont finis pour tout E-module fini M. Montrer que E est bon [comparer les suites spectrales de $\hat{E}/\hat{N} = \hat{G}$ et de $E/N = G$].

d) Montrer qu'une extension successive de groupes libres de type fini est un bon groupe. Application aux groupes de tresses ("braid groups").

e) Montrer que $\underline{\underline{SL}}(2, \underline{Z})$ est un bon groupe [on pourra utiliser le fait qu'il contient un sous-groupe libre d'indice fini].

§ 3. Dimension cohomologique

3.1. La p-dimension cohomologique.

Soit p un nombre premier, et soit G un groupe profini. On appelle *p-dimension cohomologique* de G , et on note $cd_p(G)$, la borne inférieure des entiers n vérifiant la condition suivante :

(*). Pour tout G-module discret de torsion A , et tout $q > n$, la composante p-primaire de $H^q(G, A)$ est nulle.

(Bien entendu, s'il n'existe aucun entier n vérifiant cette condition, on a $cd_p(G) = +\infty$.)

On pose $cd(G) = \mathrm{Sup.}\, cd_p(G)$; c'est la *dimension cohomologique* de G.

PROPOSITION 11. *Soit* G *un groupe profini, soit* p *un nombre premier, et soit* n *un entier. Les propriétés suivantes sont équivalentes* :

(i) $cd_p(G) \leq n$.

(ii) *On a* $H^q(G, A) = 0$ *pour tout* $q > n$ *et tout* G-*module discret* A *qui est un groupe de torsion* p-*primaire*.

(iii) *On a* $H^{n+1}(G, A) = 0$ *lorsque* A *est un* G-*module discret simple annulé par* p.

Soit A un G-module de torsion, et soit $A = \sum A(p)$ sa décomposition canonique en composantes p-primaires. On voit facilement que $H^q(G, A(p))$ s'identifie à la composante p-primaire de $H^q(G, A)$. L'équivalence de (i) et (ii) en résulte. L'implication (ii) $\Rightarrow$ (iii) est triviale. D'autre part, si (iii) est vérifié, un argument de dévissage immédiat montre que $H^{n+1}(G, A) = 0$ lorsque A est fini, et annulé par une puissance de p ; par limite inductive (cf. proposition 8, cor. 2) le même résultat s'étend à tout G-module discret A qui est un groupe de torsion p-primaire. On en déduit (ii) en raisonnant par récurrence sur q : on plonge A dans le module induit $M_G(A)$, et on applique l'hypothèse de récurrence à $M_G(A)/A$, qui est encore un module de torsion p-primaire.

PROPOSITION 12. <u>Supposons que</u> $cd_p(G) \leqslant n$, <u>et soit</u> A <u>un</u> G-<u>module discret</u> p-<u>divisible</u> (i.e. tel que $p : A \to A$ soit surjectif). <u>La composante</u> p-<u>primaire de</u> $H^q(G, A)$ <u>est alors nulle pour</u> $q > n$.

La suite exacte

$$0 \to A_p \to A \xrightarrow{p} A \to 0$$

fournit la suite exacte

$$H^q(G, A_p) \to H^q(G, A) \xrightarrow{p} H^q(G, A).$$

Pour $q > n$, on a $H^q(G, A_p) = 0$ par hypothèse. La multiplication par p est donc injective dans $H^q(G, A)$, ce qui signifie bien que la composante p-primaire de ce groupe est réduite à 0.

COROLLAIRE. <u>Si</u> $cd(G) \leqslant n$, <u>et si</u> $A \in C_G$ <u>est divisible, on a</u> $H^q(G, A) = 0$ <u>pour</u> $q > n$.

3.2. <u>Dimension cohomologique stricte</u>.

Gardons les mêmes hypothèses et notations que ci-dessus. La p-dimension cohomologique <u>stricte</u> de G , notée $scd_p(G)$, est la borne inférieure des entiers n tels que :

(**) Pour tout $A \in C_G$, on a $H^q(G, A)(p) = 0$ pour $q > n$.

[C'est la même condition que (*), à cela près qu'on ne suppose plus que A soit un module de torsion.]

On pose encore $scd(G) = \mathrm{Sup.}\, scd_p(G)$; c'est la dimension cohomologique stricte de G.

PROPOSITION 13. $scd_p(G)$ <u>est égal à</u> $cd_p(G)$ <u>ou à</u> $cd_p(G)+1$.

Il est clair que $scd_p(G) \geqslant cd_p(G)$. Il faut donc prouver que $scd_p(G) \leqslant cd_p(G)+1$. Soit donc $A \in C_G$, et formons la décomposition canonique du morphisme $p : A \to A$. Elle consiste en deux suites exactes :

$$0 \to N \to A \to I \to 0 ,$$

$$0 \to I \to A \to Q \to 0 ,$$

avec $N = A_p$, $I = pA$, $Q = A/pA$, le composé $A \to I \to A$ étant la multiplication par p.

Soit $q > cd_p(G)+1$. Comme N et Q sont des groupes de torsion p-primaires, on a $H^q(G, N) = H^{q-1}(G, Q) = 0$. Il en résulte que

$$H^q(G, A) \to H^q(G, I) \quad \text{et} \quad H^q(G, I) \to H^q(G, A)$$

sont injectifs. La multiplication par p dans $H^q(G, A)$ est donc injective, ce qui signifie que $H^q(G, A)(p) = 0$, et démontre que $scd_p(G) \leqslant cd_p(G)+1$, cqfd.

<u>Exemples</u>.

1) Prenons $G = \hat{\underline{\underline{Z}}}$. On a $cd_p(G) = 1$ pour tout p (c'est immédiat, cf. par exemple [CL], p.197, prop.2). D'autre part, $H^2(G, \underline{\underline{Z}})$ est isomorphe à $H^1(G, \underline{\underline{Q}}/\underline{\underline{Z}}) = \underline{\underline{Q}}/\underline{\underline{Z}}$, d'où $scd_p(G) = 2$.

2) Soit $p \neq 2$, et soit G le groupe des transformations affines $x \to ax+b$, avec $b \in \underline{\underline{Z}}_p$, et $a \in U_p$ (groupe des unités de $\underline{\underline{Z}}_p$). On peut montrer que $cd_p(G) = scd_p(G) = 2$ (Cf. Chapitre II).

3) Soit ℓ un nombre premier, et soit G_ℓ le groupe de Galois de la clôture algébrique $\bar{\underline{\underline{Q}}}_\ell$ du corps ℓ-adique $\underline{\underline{Q}}_\ell$. Tate a montré que l'on a $cd_p(G_\ell) = scd_p(G_\ell) = 2$ pour tout p.

Exercice.

Montrer que $scd_p(G)$ ne peut pas être égal à 1.

3.3. Dimension cohomologique des sous-groupes et des extensions.

PROPOSITION 14. *Soit H un sous-groupe fermé d'un groupe profini G. On a*

$$cd_p(H) \leq cd_p(G)$$

$$scd_p(H) \leq scd_p(G) ,$$

avec égalité dans chacun des cas suivants :

(i) $(G : H)$ *est premier à* p.

ir S-1 (ii) H *est ouvert dans* G, *et* $cd_p(G) < +\infty$.

On ne s'occupera que de cd_p, le raisonnement étant analogue pour scd_p. Si A est un H-module discret de torsion, $M_G^H(A)$ est un G-module discret de torsion et $H^q(G, M_G^H(A)) = H^q(H, A)$, d'où évidemment l'inégalité

$$cd_p(H) \leq cd_p(G).$$

L'inégalité en sens inverse résulte, dans le cas (i), du fait que Res est injectif sur les composantes p-primaires (corollaire à la proposition 9). Dans le cas (ii), posons $n = cd_p(G)$, et soit A un G-module discret de torsion tel que $H^n(G, A)(p) \neq 0$. On va voir que $H^n(H, A)(p) \neq 0$, ce qui montrera bien que $cd_p(H) = n$. Pour cela, il suffit de prouver le lemme suivant :

LEMME 4. *L'homomorphisme* $\mathrm{Cor} : H^n(H, A) \to H^n(G, A)$ *est surjectif sur les composantes* p-*primaires*.

En effet, soit $A^* = M_G^H(A)$, et soit $\pi : A^* \to A$ l'homomorphisme défini au n° 2.5, b). Cet homomorphisme est surjectif, et son noyau B est de torsion. On a donc $H^{n+1}(G, B)(p) = 0$, ce qui montre que

$$H^n(G, A^*) \to H^n(G, A)$$

est surjectif sur les composantes p-primaires. Comme cet homomorphisme s'identifie à la corestriction (cf. n°2.5), le lemme en résulte.

COROLLAIRE 1. Si G_p est un p-groupe de Sylow de G, on a $cd_p(G) = cd_p(G_p) = cd(G_p)$ et $scd_p(G) = scd_p(G_p) = scd(G_p)$.

C'est évident.

COROLLAIRE 2. Pour que $cd_p(G) = 0$ il est nécessaire et suffisant que l'ordre de G soit premier à p.

C'est évidemment suffisant. Pour montrer que c'est nécessaire, on peut supposer que G est un pro-p-groupe (cf. cor. 1). Si $G \neq \{1\}$, il existe un homomorphisme continu de G sur $\mathbb{Z}/p\mathbb{Z}$, d'après une propriété élémentaire des p-groupes (cf. par exemple [CL], p.146). On a alors $H^1(G, \mathbb{Z}/p\mathbb{Z}) \neq 0$, d'où $cd_p(G) \geqslant 1$.

COROLLAIRE 3. Si $cd_p(G) \neq 0,\infty$, l'exposant de p dans l'ordre de G est infini.

Ici encore, on peut supposer que G est un pro-p-groupe. Si G était fini, la partie (ii) de la proposition montrerait que $cd_p(G) = cd_p(\{1\}) = 0$, contrairement à l'hypothèse. Donc G est infini.

COROLLAIRE 4. Supposons que $cd_p(G) = n$ soit fini. Pour que l'on ait $scd_p(G) = n$, il faut et il suffit que la condition suivante soit vérifiée :

- Pour tout sous-groupe ouvert H de G, on a $H^{n+1}(H, \mathbb{Z})(p) = 0$.

La condition est évidemment nécessaire. Inversement, si elle est vérifiée, on a $H^{n+1}(G, A)(p) = 0$ pour tout G-module discret A qui est isomorphe à un $M_G^H(\mathbb{Z})$. Mais tout G-module discret B de type fini sur $\mathbb{Z}$ est isomorphe à un quotient A/C d'un tel A (prendre pour H un sous-groupe ouvert distingué de G opérant trivialement sur B). Comme $H^{n+2}(G, C)(p)$ est nul, on en déduit que $H^{n+1}(G, B)(p) = 0$, et par passage à la limite ce résultat s'étend à tout G-module discret, cqfd.

PROPOSITION 15. Soit H un sous-groupe distingué fermé d'un groupe profini G. On a l'inégalité :

$$cd_p(G) \leqslant cd_p(H) + cd_p(G/H).$$

On utilise la suite spectrale des extensions de groupes :

$$E_2^{i,j} = H^i(G/H, H^j(H, A)) \Rightarrow H^n(G, A).$$

Soit donc A un G-module discret de torsion, et prenons

$$n > cd_p(H) + cd_p(G/H).$$

Si $i + j = n$, on a soit $i > cd_p(G/H)$, soit $j > cd_p(H)$, et la composante p-primaire de $E_2^{i,j}$ est nulle dans les deux cas. D'où la nullité de la composante p-primaire de $H^n(G, A)$, cqfd.

Remarque.

Supposons que $n = cd_p(H)$ et $m = cd_p(G/H)$ soient finis. La suite spectrale fournit alors un isomorphisme canonique :

$$H^{n+m}(G, A)(p) = H^m(G/H, H^n(H, A))(p) .$$

Cet isomorphisme permet de donner des conditions pour que $cd_p(G)$ soit égal à $cd_p(H) + cd_p(G/H)$, cf. § 4.

Exercices.

1) Montrer que, dans l'assertion (ii) de la proposition 14, on peut remplacer l'hypothèse " H est ouvert dans G " par la suivante "l'exposant de p dans (G : H) est fini".

2) Les notations étant celles de la proposition 15, on suppose que l'exposant de p dans (G : H) n'est pas nul (i.e. $cd_p(G/H) \neq 0$). Montrer que l'on

a l'inégalité $scd_p(G) \leq cd_p(H) + scd_p(G/H)$.

3) Soit n un entier. On suppose que, pour tout sous-groupe ouvert H de G, les composantes p-primaires de $H^{n+1}(H, \underline{\underline{Z}})$ et $H^{n+2}(H, \underline{\underline{Z}})$ sont nulles. Montrer que $scd_p(G) \leq n$. [Si G_p est un p-groupe de Sylow de G, on montrera que $H^{n+1}(G_p, \underline{\underline{Z}}/p\underline{\underline{Z}}) = 0$, et on appliquera un résultat du § 4 pour prouver que $cd_p(G) \leq n$.]

3.4. Caractérisation des groupes profinis G tels que $cd_p(G) \leq 1$.

Soit $1 \to P \to E \xrightarrow{\pi} W \to 1$ une extension de groupes profinis. Nous dirons qu'un groupe profini G possède la propriété de relèvement pour l'extension précédente si tout morphisme $f : G \to W$ se relève en un morphisme $f' : G \to E$ (i.e. s'il existe un f' tel que $f = \pi \circ f'$). Cela équivaut à dire que l'extension

$$1 \to P \to E_f \to G \to 1 ,$$

image réciproque de E par f, est triviale.

PROPOSITION 16. Soit G un groupe profini et soit p un nombre premier. Les propriétés suivantes sont équivalentes :

(i) $cd_p(G) \leq 1$.

(ii) Le groupe G possède la propriété de relèvement pour les extensions $1 \to P \to E \to W \to 1$ où E est fini, et où P est un p-groupe abélien annulé par p.

(ii bis) Toute extension de G dont le noyau est un p-groupe abélien fini annulé par p est triviale.

(iii) Le groupe G possède la propriété de relèvement pour les extensions $1 \to P \to E \to W \to 1$ où P est un pro-p-groupe.

(iii bis) <u>Toute extension de</u> G <u>dont le noyau est un pro-p-groupe est triviale</u>.

(Il s'agit, bien entendu, d'extensions dans la catégorie des groupes profinis.)

Il est clair que (iii) $\Longleftrightarrow$ (iii bis) et que (ii bis) $\Longrightarrow$ (ii). Pour prouver que (ii) $\Longrightarrow$ (ii bis), considérons une extension

$$1 \to P \to E_o \to G \to 1$$

de G par un p-groupe abélien fini P annulé par p. D'après le lemme 2 du n°1.2 , cette extension est triviale au-dessus d'un sous-groupe ouvert H de G , que l'on peut supposer distingué dans G ; cela signifie qu'elle provient par image réciproque d'une extension E de G/H par P. En appliquant (ii) à cette extension on voit que G se relève dans (E_o) , d'où (ii bis).

La correspondance entre éléments de $H^2(G, A)$ et classes d'extensions de G par A (cf. n°2.3) montre que (i) $\Longleftrightarrow$ (ii bis). On a

$$\text{(iii bis)} \Longrightarrow \text{(ii bis)}$$

trivialement. Reste donc à montrer que (ii bis) entraîne (iii bis). On s'appuiera pour cela sur le lemme suivant :

LEMME 5. <u>Soit</u> H <u>un sous-groupe fermé distingué d'un groupe profini</u> E , <u>et soit</u> H' <u>un sous-groupe ouvert de</u> H . <u>Il existe alors un sous-groupe ouvert</u> H" <u>de</u> H , <u>contenu dans</u> H' , <u>et distingué dans</u> E.

Soit N le normalisateur de H' dans E, c'est-à-dire l'ensemble des $x \in E$ tels que $xH'x^{-1} = H'$. Comme $xH'x^{-1}$ est contenu dans H, on voit que N est l'ensemble des éléments qui appliquent un compact (à savoir H') dans un ouvert (à savoir H', considéré comme sous-espace de H). Il s'ensuit que N est ouvert, donc que les conjugués de H' sont en nombre fini. Leur intersection H" répond aux conditions posées.

Revenons maintenant à la démonstration de (ii bis) $\Longrightarrow$ (iii bis). Soit $1 \rightarrow P \rightarrow E \rightarrow G \rightarrow 1$ une extension de G par un pro-p-groupe P. Soit X l'ensemble des couples (P', s), où P' est ouvert dans P et distingué dans E, et où s est un relèvement de G dans l'extension

$$1 \rightarrow P/P' \rightarrow E/P' \rightarrow G \rightarrow 1.$$

On ordonne X de façon évidente ; c'est un ensemble inductif. Si (P', s) est un élément maximal de X , on a $P' = \{1\}$ (ce qui démontre (iii bis)). En effet, quitte à diviser par P' , on peut supposer que (P, id.) est maximal, et il faut prouver que l'on a alors $P = \{1\}$. Sinon le lemme 5 montrerait l'existence d'un vrai sous-groupe P' ouvert dans P et distingué dans G ; par dévissage (P/P' étant un p-groupe), on pourrait supposer que P/P' est abélien et annulé par p. Vu (ii bis), l'extension

$$1 \rightarrow P/P' \rightarrow E/P' \rightarrow G \rightarrow 1$$

serait triviale, contrairement au caractère maximal de (P, id.), cqfd.

COROLLAIRE. <u>Un pro-p-groupe libre</u> F(I) <u>est de dimension cohomologique</u> ≤ 1 .

Vérifions par exemple la propriété (iii bis). Soit $E/P = G$ une extension de $G = F(I)$ par un pro-p-groupe P, et soient x_i les générateurs canoniques de F(I). Soit $u : G \rightarrow E$ une section continue passant par l'élément neutre (cf. prop. 1), et soient $e_i = s(x_i)$. Puisque les x_i tendent vers 1 , il en est de même des e_i , et la proposition 5 montre qu'il existe un morphisme $s : G \rightarrow E$ tel que $s(x_i = e_i)$. L'extension E est donc triviale, cqfd.

<u>Exercices.</u>

1. Soit G un groupe profini et soit p un nombre premier. Considérons la propriété suivante :

$(*_p)$. Pour toute extension $1 \to P \to E \to W \to 1$, où E est fini et où P est un p-groupe, et pour tout morphisme surjectif $f : G \to W$, il existe un morphisme surjectif $f' : G \to E$ qui relève f.

(a) Montrer que cette propriété équivaut à la conjonction des deux suivantes :

(1_p). $cd_p(G) \leq 1$.

(2_p). Pour tout sous-groupe ouvert distingué U de G, et tout entier $N \geq 0$, il existe $z_1, \ldots, z_N \in H^1(U, \mathbb{Z}/p\mathbb{Z})$ tels que les éléments $s(z_i)(s \in G/U, 1 \leq i \leq N)$ soient linéairement indépendants sur $\mathbb{Z}/p\mathbb{Z}$.

[On commencera par montrer qu'il suffit d'exprimer $(*_p)$ dans les deux cas suivants : (i) tout sous-groupe de E se projetant sur W est égal à E, (ii) E est produit semi-direct de W par P, et P est un p-groupe abélien annulé par p. Le cas (i) équivaut à (1_p) et le cas (ii) à (2_p).]

(b) Montrer que, pour vérifier (2_p), il suffit de considérer les sous-groupes U assez petits (i.e. contenus dans un sous-groupe ouvert fixe).

2. (a) Soient G et G' deux groupes profinis vérifiant $(*_p)$ pour tout p. On suppose qu'il existe une base (G_n) (resp. (G'_n)) de voisinages de l'élément neutre dans G (resp. G') formée de sous-groupes ouverts distingués tels que G/G_n (resp. G'/G'_n) soit résoluble pour tout n. Montrer que G et G' sont isomorphes.

[On construira par récurrence sur n deux suites décroissantes (H_n), (H'_n), avec $H_n \subset G_n$, $H'_n \subset G'_n$, H_n et H'_n ouverts distingués dans G et G', et une suite cohérente (f_n) d'isomorphismes $G/H_n \to G'/H'_n$.]

(b) Soit L le groupe libre (non abélien) engendré par une famille dénombrable d'éléments (x_i) ; soit $\hat{L} = \varprojlim L/N$, pour N distingué dans L, contenant presque tous les x_i , et tel que L/N soit résoluble et fini. Montrer que $\hat{L}$ est un groupe pro-résoluble (i.e. limite projective de groupes résolubles finis) métrisable qui vérifie $(*_p)$ pour tout p ; montrer, en utilisant (a), que tout groupe profini vérifiant ces propriétés est isomorphe à $\hat{L}$.

[Cf. Iwasawa, <u>On solvable extensions of algebraic number fields</u>, Annals of Maths., 58, 1953, p.548-572.]

3.5. <u>Module dualisant</u>.

Soit G un groupe profini. Nous noterons C_G^f (resp. C_G^t) la catégorie des G-modules discrets A qui sont des groupes finis (resp. des groupes de torsion). La catégorie C_G^t s'identifie à la catégorie $\varinjlim . C_G^f$ des limites inductives d'objets de C_G^f .

On désignera par (Ab) la catégorie des groupes abéliens. Si $M \in (Ab)$ on posera $M^* = \mathrm{Hom}(M, \mathbb{Q}/\mathbb{Z})$, et on munira ce groupe de la topologie de la convergence simple ($\mathbb{Q}/\mathbb{Z}$ étant considéré comme discret). Lorsque M est un groupe de torsion (resp. un groupe fini), M^* est compact (resp. fini). On obtient ainsi une équivalence de catégories entre la catégorie des groupes abéliens de torsion et la catégorie opposée à la catégorie des groupes abéliens compacts profinis ("dualité de Pontrjagin").

PROPOSITION 17. <u>Soit</u> n <u>un entier, et supposons</u> :

(a) <u>que</u> $cd(G) \leq n$,

(b) <u>que pour tout</u> $A \in C_G^f$, <u>le groupe</u> $H^n(G,A)$ <u>soit fini</u>. <u>Alors le foncteur</u> $H^n(G, A)^*$ <u>est représentable sur</u> C_G^f <u>par un élément</u> $I \in C_G^t$.

[En d'autres termes, il existe un $I \in C_G^t$ tel que les foncteurs $\mathrm{Hom}^G(A, I)$ et $H^n(G, A)^*$ soient isomorphes pour A parcourant C_G^f .]

Posons $S(A) = H^n(G, A)$ et $T(A) = H^n(G, A)^*$. L'hypothèse (a) montre que S est un foncteur covariant et exact à droite de C_G^f dans (Ab) ; l'hypothèse (b) montre qu'il prend ses valeurs dans la sous-catégorie (Ab^f) de (Ab) formée des groupes <u>finis</u>. Comme le foncteur $*$ est exact, on en déduit que T est un foncteur contravariant exact à gauche de C_G^f dans (Ab). La proposition 17 est alors une conséquence du lemme suivant :

LEMME 6. <u>Soit</u> C <u>une catégorie abélienne noethérienne, et soit</u> $T : C^o \to (Ab)$ <u>un foncteur contravariant exact à droite de</u> C <u>dans</u> (Ab). <u>Le foncteur</u> T <u>est alors représentable par un objet</u> I <u>de</u> $\varinjlim . C$.

Ce résultat se trouve dans un exposé Bourbaki de Grothendieck (exposé 195, p.195-06), ainsi que dans la thèse de Gabriel (Chap.II, n°4). On va rappeler le principe de la démonstration de Grothendieck :

Un couple (A, x), avec $A \in C$ et $x \in T(A)$ est dit <u>minimal</u> si x n'appartient à aucun $T(B)$, où B est un quotient de A distinct de A (si B est un quotient de A, on identifie $T(B)$ à un sous-groupe de $T(A)$). Si (A', x') et (A, x) sont des couples minimaux, on dit que (A', x') est <u>plus grand</u> que (A, x) s'il existe un morphisme $u : A \to A'$ tel que $T(u)(x') = x$ (auquel cas on vérifie que u est unique). L'ensemble des couples minimaux est un ordonné filtrant, et l'on prend $I = \varinjlim . A$ suivant cet ordonné filtrant. Si l'on pose $T(I) = \varprojlim . T(A)$, les x définissent un élément canonique $i \in T(I)$. Si $f : A \to I$ est un morphisme, on fait correspondre à f l'élément $T(f)(i)$ de $T(A)$, et l'on obtient un homomorphisme de $Hom(A, I)$ dans $T(A)$. On vérifie sans difficultés (c'est tout de même là qu'intervient l'hypothèse noethérienne) que cet homomorphisme est un isomorphisme.

Remarques.

1) Ici, $T(I)$ est simplement le dual (compact) du groupe de torsion $H^n(G, I)$ et l'élément canonique $i \in T(I)$ est un homomorphisme

$$i : H^n(G, I) \to \underline{\underline{Q}}/\underline{\underline{Z}} .$$

L'application $\mathrm{Hom}^G(A, I) \to H^n(G, A)^*$ s'obtient en faisant correspondre à $f \in \mathrm{Hom}^G(A, I)$ l'homomorphisme

$$H^n(G, A) \xrightarrow{f} H^n(G, I) \xrightarrow{i} \underline{\underline{Q}}/\underline{\underline{Z}} .$$

2) Le module I est appelé le <u>module dualisant</u> de G (pour la dimension n). Il est déterminé à isomorphisme près ; plus précisément, <u>le couple</u> (I, i) <u>est déterminé à isomorphisme unique près</u>.

3) Si l'on s'était restreint aux G-modules p-primaires, on n'aurait eu besoin que de l'hypothèse $cd_p(G) \leq n$.

4) Par passage à la limite, on déduit de la proposition 17 que, si $A \in C_G^t$ le groupe $H^n(G, A)$ est dual du groupe <u>compact</u> $\mathrm{Hom}^G(A, I)$, la topologie de ce dernier groupe étant celle de la convergence simple. Si l'on pose $\tilde{A} = \mathrm{Hom}(A, I)$, et si l'on considère $\tilde{A}$ comme un G-module par la formule $(gf)(a) = g.f(g^{-1}a)$, on a $\mathrm{Hom}^G(A, I) = H^o(G, \tilde{A})$ et la proposition 17 s'exprime alors comme une <u>dualité entre</u> $H^n(G, A)$ <u>et</u> $H^o(G, \tilde{A})$, le premier groupe étant discret, et le second compact.

PROPOSITION 18. <u>Si</u> I <u>est module dualisant pour</u> G, I <u>est aussi module dualisant pour tout sous-groupe ouvert</u> H <u>de</u> G.

Si $A \in C_H^f$, on a $M_G^H(A) \in C_G^f$ et $H^n(G, M_G^H(A)) = H^n(H, A)$. On en déduit que $H^n(H, A)$ est dual de $\mathrm{Hom}^G(M_G^H(A), I)$. Mais il est facile de voir que ce dernier groupe s'identifie fonctoriellement à $\mathrm{Hom}^H(A, I)$. Il s'ensuit que I est bien le module dualisant de H.

Remarque.

L'injection canonique de $\mathrm{Hom}^G(A, I)$ dans $\mathrm{Hom}(A, I)$ définit par dualité un homomorphisme surjectif $H^n(H, A) \to H^n(G, A)$ qui n'est autre que la corestriction : cela se voit sur l'interprétation de la corestriction donnée au n° 2.5.

COROLLAIRE. *Soit* $A \in C_G^f$. *Le groupe* $\tilde{A} = \mathrm{Hom}(A, I)$ *est la limite inductive des duaux des* $H^n(H, A)$, *pour* H *parcourant l'ensemble des sous-groupes ouverts de* G (les applications entre ces groupes étant les transposées des corestrictions).

Cela résulte par dualité de la formule évidente

$$\tilde{A} = \varinjlim . \mathrm{Hom}^H(A, I).$$

Remarque.

On peut préciser l'énoncé précédent en prouvant que les opérations de G sur $\tilde{A}$ s'obtiennent par passage à la limite à partir des opérations naturelles de G/H sur $H^n(H, A)$, pour H ouvert distingué dans G.

PROPOSITION 19. *Supposons* $n \geqslant 1$. *Pour que* $\mathrm{scd}_p(G) = n + 1$, *il faut et il suffit qu'il existe un sous-groupe ouvert* H *de* G *tel que* I^H *contienne un sous-groupe isomorphe à* $\mathbf{Q}_p/\mathbf{Z}_p$.

Dire que I^H contient un sous-groupe isomorphe à $\mathbf{Q}_p/\mathbf{Z}_p$ équivaut à dire que $\mathrm{Hom}^H(\mathbf{Q}_p/\mathbf{Z}_p, I) \neq 0$, ou encore que $H^n(H, \mathbf{Q}_p/\mathbf{Z}_p) \neq 0$. Mais $H^n(H, \mathbf{Q}_p/\mathbf{Z}_p)$ est la composante p-primaire de $H^n(H, \mathbf{Q}/\mathbf{Z})$, lui-même isomorphe à $H^{n+1}(H, \mathbf{Z})$ (utiliser la suite exacte habituelle

$$0 \to \mathbf{Z} \to \mathbf{Q} \to \mathbf{Q}/\mathbf{Z} \to 0$$

ainsi que l'hypothèse $n \geqslant 1$). La proposition résulte donc du corollaire 4 de la proposition 14.

Exemples.

1) Prenons $G = \hat{\underline{\underline{Z}}}$, $n = 1$. Soit $A \in C_G^t$, et notons σ l'automorphisme de A défini par le générateur canonique de G. On vérifie facilement (cf. [CL], p.197) que $H^1(G, A)$ s'identifie à $A_G = A/(\sigma - 1)A$. On en conclut que le module dualisant de G est le module $\underline{\underline{Q}}/\underline{\underline{Z}}$, avec opérateurs triviaux. On retrouve en particulier le fait que $scd_p(G) = 2$ pour tout p.

2) Soit $\overline{\underline{\underline{Q}}}_\ell$ la clôture algébrique du corps ℓ-adique $\underline{\underline{Q}}_\ell$, et soit G le groupe de Galois de $\overline{\underline{\underline{Q}}}_\ell$ sur $\underline{\underline{Q}}_\ell$. On a $cd(G) = 2$, et le module dualisant correspondant est le groupe μ de toutes les racines de l'unité (Tate). La proposition précédente redonne le fait que $scd_p(G) = 2$ pour tout p.

§ 4. Cohomologie des pro-p-groupes.

4.1. Modules simples.

PROPOSITION 20. *Soit G un pro-p-groupe. Tout G-module discret annulé par p et simple est isomorphe à $\mathbb{Z}/p\mathbb{Z}$ (avec opérateurs triviaux).*

Soit A un tel module. Il est clair que A est fini, et on peut le considérer comme un G/U-module, où U est un sous-groupe ouvert distingué convenable de G. On est ainsi ramené au cas où G est un p-groupe (fini), cas qui est bien connu (cf. par exemple [CL], p.146).

COROLLAIRE. *Tout G-module discret fini et p-primaire admet une suite de compositions dont les quotients successifs sont isomorphes à $\mathbb{Z}/p\mathbb{Z}$.*

C'est évident.

PROPOSITION 21. *Soit G un pro-p-groupe et soit n un entier. Pour que $cd(G) \leqslant n$, il faut et il suffit que $H^{n+1}(G, \mathbb{Z}/p\mathbb{Z}) = 0$.*

Cela résulte des propositions 11 et 20.

COROLLAIRE. *Supposons que cd(G) soit égal à n. Si A est un G-module discret fini, p-primaire, et non nul, on a $H^n(G,A) \neq 0$.*

En effet, d'après le corollaire à la proposition 20, il existe un homomorphisme surjectif $A \to \mathbb{Z}/p\mathbb{Z}$. Comme $cd(G) \leqslant n$, l'homomorphisme correspondant :

$$H^n(G, A) \longrightarrow H^n(G, \mathbb{Z}/p\mathbb{Z})$$

est surjectif. Mais la proposition 21 montre que $H^n(G, \mathbb{Z}/p\mathbb{Z}) \neq 0$. D'où le résultat.

La proposition suivante précise la proposition 15 :

PROPOSITION 22. *Soient G un groupe profini et H un sous-groupe fermé dis-*

tingué de G. *On suppose que* $n = cd_p(H)$ *et* $m = cd_p(G/H)$ *sont finis*. *On a l'égalité*

$$cd_p(G) = n + m$$

dans chacun des deux cas suivants :

(i) H *est un pro-p-groupe et* $H^n(H, \underline{\underline{Z}}/p\underline{\underline{Z}})$ *est fini*.

(ii) H *est contenu dans le centre de* G.

Soit $(G/H)'$ un p-groupe de Sylow de G/H, et soit G' son image réciproque dans G. On sait que $cd_p(G') \leqslant cd_p(G) \leqslant n+m$, et que $cd_p(G'/H) = m$. Il suffira donc de prouver que $cd_p(G') = n + m$, en d'autres termes *on peut supposer que* G/H *est un pro-p-groupe*. On a d'autre part (cf. n°3.3) :

$$H^{n+m}(G, \underline{\underline{Z}}/p\underline{\underline{Z}}) = H^m(G/H, H^n(H, \underline{\underline{Z}}/p\underline{\underline{Z}})) .$$

Dans le cas (i), $H^n(H, \underline{\underline{Z}}/p\underline{\underline{Z}})$ est fini et non nul (proposition 21). Il s'ensuit que $H^m(G/H, H^n(H, \underline{\underline{Z}}/p\underline{\underline{Z}}))$ est non nul (cor. à la prop. 21), d'où $H^{n+m}(G, \underline{\underline{Z}}/p\underline{\underline{Z}}) \neq 0$ et $cd_p(G) = n + m$.

Dans le cas (ii), le groupe H est abélien, donc produit direct de ses sous-groupes de Sylow H_ℓ. D'après la proposition 21, on a $H^n(H_p, \underline{\underline{Z}}/p\underline{\underline{Z}}) \neq 0$ et comme H_p est facteur direct dans H, il s'ensuit que $H^n(H, \underline{\underline{Z}}/p\underline{\underline{Z}}) \neq 0$. D'autre part, les opérations de G/H sur $H^n(H, \underline{\underline{Z}}/p\underline{\underline{Z}})$ sont triviales. En effet, dans le cas d'un $H^q(H, A)$ quelconque, ces opérations proviennent de l'action de G sur H (par automorphismes intérieurs) et sur A (cf. [CL], p.124), et ici ces deux actions sont triviales. En tant que G/H-module, $H^n(H, \underline{\underline{Z}}/p\underline{\underline{Z}})$ est donc isomorphe à une somme directe $(\underline{\underline{Z}}/p\underline{\underline{Z}})^{(I)}$, l'ensemble d'indices I étant non vide. On a donc :

$$H^{n+m}(G, \underline{\underline{Z}}/p\underline{\underline{Z}}) = H^m(G/H, \underline{\underline{Z}}/p\underline{\underline{Z}})^{(I)} \neq 0 ,$$

ce qui achève la démonstration comme ci-dessus.

Exercice.

Soit G un pro-p-groupe. On suppose que $H^i(G, \mathbb{Z}/p\mathbb{Z})$ est de dimension finie n_i sur $\mathbb{Z}/p\mathbb{Z}$ pour tout i, et que $n_i = 0$ pour i assez grand (i.e. $cd(G) < +\infty$). On pose $E(G) = \sum (-1)^i n_i$; c'est la caractéristique d'Euler-Poincaré de G.

(a) Soit A un G-module discret, d'ordre fini p^a. Montrer que les $H^i(G, A)$ sont finis. Si $p^{n_i(A)}$ désigne leur ordre, on pose :

$$\chi(A) = \sum (-1)^i n_i(A) .$$

Montrer que $\chi(A) = a.E(G)$.

(b) Soit H un sous-groupe ouvert de G. Montrer que H possède les mêmes propriétés que G, et que l'on a :

$$E(H) = (G : H).E(G).$$

(c) Soit $X/N = G$ une extension de G par un pro-p-groupe N vérifiant les mêmes propriétés. Montrer qu'il en est de même de X et que l'on a :

$$E(X) = E(N).E(G)$$

(d) Soit G_1 un pro-p-groupe. On suppose qu'il existe un sous-groupe ouvert G de G_1 vérifiant les propriétés ci-dessus. On pose :

$$E(G_1) = E(G)/(G_1 : G) .$$

Mont er que ce nombre (qui n'est plus nécessairement entier) ne dépend pas du choix de G_1 . Généraliser (b) et (c).

4.2. Interprétation de H^1 : générateurs.

Soit G un pro-p-groupe. Dans toute la suite de ce paragraphe, on posera :

$$H^i(G) = H^i(G, \mathbb{Z}/p\mathbb{Z}).$$

En particulier, $H^1(G)$ désigne $H^1(G, \mathbb{Z}/p\mathbb{Z}) = \mathrm{Hom}(G, \mathbb{Z}/p\mathbb{Z})$.

PROPOSITION 23. Soit $f : G_1 \to G_2$ un morphisme de pro-p-groupes. Pour que f soit surjectif, il faut et il suffit que $H^1(f) : H^1(G_2) \to H^1(G_1)$ soit injectif.

La nécessité est claire. Inversement, supposons que $f(G_1) \neq G_2$. Il existe alors un quotient fini P_2 de G_2 tel que l'image P_1 de $f(G_1)$ dans P_2 soit distincte de P_2. On sait (cf. par exemple M. Hall, The theory of groups, chap. 12) qu'il existe un sous-groupe distingué de P_2, d'indice p, contenant P_1. En d'autres termes, il existe un homomorphisme non nul $\pi : P_2 \to \mathbb{Z}/p\mathbb{Z}$ qui applique P_1 sur 0. Si l'on considère π comme un élément de $H^1(G_2)$, on a $\pi \in \mathrm{Ker.}\, H^1(f)$, cqfd.

Remarque.

Soit G un pro-p-groupe. Notons G^* le sous-groupe de G intersection des noyaux des homomorphismes $\pi : G \to \mathbb{Z}/p\mathbb{Z}$. On voit facilement que $G^* = G^p.(G, G)$, où (G, G) désigne comme d'ordinaire l'adhérence du groupe des commutateurs de G. Les groupes G/G^* et $H^1(G)$ sont duaux l'un de l'autre (le premier étant compact et le second discret). La proposition 23 peut donc se reformuler ainsi :

PROPOSITION 23 bis. Pour qu'un morphisme $G_1 \to G_2$ soit surjectif, il faut et il suffit qu'il en soit de même du morphisme $G_1/G_1^* \to G_2/G_2^*$ qu'il définit.

Ainsi, G^* joue le rôle d'un "radical", et la proposition précédente est analogue au "lemme de Nakayama", si utile en algèbre commutative.

Exemple.

Si G est le groupe libre $F(I)$ défini au n°1.5, la proposition 5 montre que $H^1(G)$ s'identifie à la somme directe $(\mathbb{Z}/p\mathbb{Z})^{(I)}$, et G/G^* au groupe produit $(\mathbb{Z}/p\mathbb{Z})^I$.

PROPOSITION 24. *Soit* G *un pro-p-groupe et soit* I *un ensemble. Soit* $\Theta : H^1(G) \to (\underline{\underline{Z}}/p\underline{\underline{Z}})^{(I)}$ *un homomorphisme.*

(a) *Il existe un morphisme* $f : F(I) \to G$ *tel que* $\Theta = H^1(f)$.

(b) *Si* Θ *est injectif, un tel morphisme* f *est surjectif.*

(c) *Si* Θ *est bijectif, et si* $cd(G) \leq 1$, *un tel morphisme* f *est un isomorphisme.*

Par dualité, Θ définit un morphisme $\Theta' : (\underline{\underline{Z}}/p\underline{\underline{Z}})^I \to G/G^*$ de groupes compacts, d'où en composant un morphisme $F(I) \to G/G^*$. Comme $F(I)$ a la propriété de relèvement (cf. n°3.4), on en déduit un morphisme $f : F(I) \to G$ qui répond évidemment à la question. Si Θ est injectif, la proposition 23 montre que f est surjectif. Si en outre $cd(G) \leq 1$, la proposition 16 montre qu'il existe un morphisme $g : G \to F(I)$ tel que $f \circ g = 1$. On a $H^1(g) \circ H^1(f) = 1$. Si $\Theta = H^1(f)$ est bijectif, il s'ensuit que $H^1(g)$ est bijectif, donc que g est surjectif. Comme $f \circ g = 1$, ceci montre que f et g sont des isomorphismes, et achève la démonstration.

COROLLAIRE 1. *Pour qu'un pro-p-groupe* G *soit isomorphe à un quotient du pro-p-groupe libre* $F(I)$, *il faut et il suffit que* $H^1(G)$ *ait une base dont le cardinal soit* $\leq Card(I)$.

En effet, si cette condition est remplie, on peut plonger $H^1(G)$ dans $(\underline{\underline{Z}}/p\underline{\underline{Z}})^{(I)}$, et appliquer (b).

En particulier, tout pro-p-groupe est quotient d'un pro-p-groupe libre.

COROLLAIRE 2. Pour qu'un pro-p-groupe soit libre, il faut et il suffit que sa dimension cohomologique soit ≤ 1.

C'est nécessaire, on le sait. Réciproquement, si $cd(G) \leq 1$, on choisit une base $(e_i)_{i \in I}$ de $H^1(G)$; cela donne un isomorphisme

$$\Theta: H^1(G) \to (\mathbb{Z}/p\mathbb{Z})^{(I)},$$

et la proposition 24 montre que G est isomorphe à $F(I)$.

Indiquons deux cas particuliers du corollaire précédent :

COROLLAIRE 3. Tout sous-groupe fermé d'un pro-p-groupe libre est libre.

C'est évident.

COROLLAIRE 4. Les pro-p-groupes $F_s(I)$ définis au n° 1.5 sont libres.

En effet, ces groupes vérifient la propriété de relèvement de la proposition 16. Ils sont donc de dimension cohomologique ≤ 1.

On va préciser un peu le corollaire 1 dans le cas particulier où I est fini. Si $g_1, \ldots, g_n$ sont des éléments de G, nous dirons que les g_i engendrent G (topologiquement) si le sous-groupe qu'ils engendrent (au sens algébrique) est dense dans G ; il revient au même de dire que tout quotient G/U, avec U ouvert, est engendré par les images des g_i.

PROPOSITION 25. Soient $g_1, \ldots, g_n$ des éléments d'un pro-p-groupe G. Les conditions suivantes sont équivalentes :

(a) $g_1, \ldots, g_n$ engendrent G.

(b) L'homomorphisme $g : F(n) \to G$ défini par les g_i (cf. prop.5) est surjectif.

(c) Les images dans G/G^* des g_i engendrent ce groupe.

(d) Tout $\pi \in H^1(G)$ qui s'annule sur les g_i est égal à 0.

L'équivalence (a) $\Leftrightarrow$ (b) se voit facilement directement (elle résulte aussi de la proposition 24). L'équivalence (b) $\Leftrightarrow$ (c) résulte de la proposition 23 bis, et (c) $\Leftrightarrow$ (d) se déduit de la dualité reliant $H^1(G)$ et G/G^*.

COROLLAIRE. Le nombre minimum de générateurs de G est égal à la dimension de $H^1(G)$.

C'est clair.

Le nombre ainsi défini sera appelé le rang de G.

Exercices.

1. Montrer que, si I est un ensemble infini, $F_s(I)$ est isomorphe à $F(2^I)$.

2. Pour qu'un pro-p-groupe G soit métrisable, il faut et il suffit que $H^1(G)$ soit dénombrable.

3. Soit G un pro-p-groupe. Posons $G_1 = G$, et définissons par récurrence G_n au moyen de la formule $G_n = (G_{n-1})^*$. Montrer que les G_n forment une suite décroissante de sous-groupes distingués fermés de G, d'intersection réduite à $\{1\}$. Montrer que les G_n sont ouverts si et seulement si G est de rang fini.

4. (On note $n(G)$ le rang d'un pro-p-groupe G.)

(a) Soit F un pro-p-groupe libre de rang fini, et soit U un sous-groupe ouvert de F. Montrer que U est aussi un pro-p-groupe de rang fini, et que l'on a l'égalité :

$$n(U) - 1 = (F : U).(n(F) - 1).$$

[Utiliser l'exercice du n° 4.1 en notant que $E(F) = 1 - n(F)$.]

(b) Soit G un pro-p-groupe de rang fini. Montrer que, si U est un sous-groupe ouvert de G, U est aussi de rang fini. Démontrer l'inégalité :

$$n(U) - 1 \leq (G : U)(n(G) - 1) .$$

[Ecrire G comme quotient d'un pro-p-groupe libre F de même rang, et appliquer (a) à l'image réciproque U' de U dans F.]

Montrer que, s'il y a égalité dans cette formule pour tout U, le groupe G est libre. [Même méthode que ci-dessus. Comparer les filtrations (F_n) et (G_n) définies dans l'exercice 3 ; montrer par récurrence sur n que la projection $F \to G$ définit par passage au quotient un isomorphisme de F/F_n sur G/G_n. En déduire que c'est un isomorphisme.]

4.3. Interprétation de H^2 : relations.

Soit F un pro-p-groupe, et soit R un sous-groupe fermé distingué de F. Soient $r_1, \ldots, r_n \in R$. Nous dirons que les r_i engendrent R (comme sous-groupe distingué de F) si les conjugués des r_i engendrent (au sens algébrique) un sous-groupe dense de R. Il revient au même de dire que R est le plus petit sous-groupe fermé distingué de F contenant les r_i.

PROPOSITION 26. Pour que les r_i engendrent R (comme sous-groupe distingué de F), il faut et il suffit que tout élément $\pi \in H^1(R)^{F/R}$ qui s'annule sur les r_i soit égal à 0.

[On a $H^1(R) = \mathrm{Hom}(R/R^*, \mathbf{Z}/p\mathbf{Z})$ et le groupe F/R opère sur R/R^* par automorphismes intérieurs. Il opère donc sur $H^1(R)$ - c'est un cas particulier des résultats du n° 2.6.]

Supposons que les conjugués gr_ig^{-1} des r_i engendrent un sous-groupe dense de R, et soit π un élément du groupe $H^1(R)^{F/R}$ tel que $\pi(r_i) = 0$ pour tout i. Puisque π est invariant par F/R, on a $\pi(gxg^{-1}) = \pi(x)$

pour $g \in F$ et $x \in R$. On en conclut que π s'annule sur les gr_ig^{-1} , donc sur R , d'où $\pi = 0$.

Inversement, supposons cette condition vérifiée, et soit R' le plus petit sous-groupe fermé distingué de F contenant les r_i . L'injection $R' \to R$ définit un homomorphisme $f : H^1(R) \to H^1(R')$, d'où par restriction un homomorphisme $\bar{f} : H^1(R)^F \to H^1(R')^F$. Si $\pi \in \mathrm{Ker}(\bar{f})$, π s'annule sur R', donc sur les r_i , et $\pi = 0$ par hypothèse. On en conclut que $\mathrm{Ker}(f)$ ne contient aucun élément non nul invariant par F. Vu le corollaire à la proposition 20, ceci entraîne $\mathrm{Ker}(f) = 0$, et la proposition 23 montre que $R' \to R$ est surjectif, d'où $R' = R$, cqfd.

COROLLAIRE. _Pour que_ R _puisse être engendré par_ n _éléments_ (en tant que sous-groupe distingué de F), _il faut et il suffit que_

$$\dim. H^1(R)^{F/R} \leq n.$$

C'est évidemment nécessaire. Inversement, si $\dim. H^1(R)^{F/R} \leq n$, la dualité existant entre $H^1(R)$ et R/R^* montre qu'il existe n éléments $r_i \in R$ tels que $\langle r_i, \pi \rangle = 0$ pour tout i entraîne $\pi = 0$. D'où le résultat cherché.

Remarque.

La dimension de $H^1(R)^{F/R}$ sera appelée le _rang_ du sous-groupe _distingué_ R.

On va appliquer ce qui précède au cas où F est égal au prop-p-groupe libre $F(n)$, et on posera $G = F/R$ (le groupe G est donc décrit "par générateurs et relations").

PROPOSITION 27. _Les deux conditions suivantes sont équivalentes_ :

(a) _Le sous-groupe_ R _est de rang fini_ r (comme sous-groupe distingué de $F(n)$).

(b) $H^2(G)$ <u>est de dimension finie</u> h_2 .

<u>Si ces conditions sont vérifiées, on a l'égalité</u> :

$$r = n - h_1 + h_2 ,$$

<u>où</u> h_1 <u>désigne le rang de</u> G (la dimension de $H^1(G)$).

On applique la suite exacte du n° 2.6, en tenant compte de ce que $H^2(F(n)) = 0$. On trouve :

$$0 \to H^1(G) \to H^1(F(n)) \to H^1(R)^G \xrightarrow{\delta} H^2(G) \to 0 .$$

Cette suite exacte montre que $H^1(R)^G$ et $H^2(G)$ sont simultanément finis ou infinis, d'où la première partie de la proposition. La deuxième partie résulte aussi de cette suite exacte (former la somme alternée des dimensions).

COROLLAIRE. <u>Soit</u> G <u>un pro-p-groupe tel que</u> $H^1(G)$ <u>et</u> $H^2(G)$ <u>soient finis</u>. <u>Soit</u> $x_1,\ldots, x_n$ <u>un système minimal de générateurs de</u> G. <u>Le nombre</u> r <u>des relations entre les</u> x_i <u>est alors égal à la dimension de</u> $H^2(G)$.

[Les x_i définissent un morphisme surjectif $F(n) \to G$, de noyau R , et le rang de R (comme sous-groupe distingué) est par définition, le "nombre des relations entre les x_i ".]

En effet, l'hypothèse suivant laquelle les x_i forment un système <u>minimal</u> de générateurs équivaut à dire que $n = \dim. H^1(G)$, cf. corollaire à la proposition 25. La proposition montre alors que $r = h_2$, cqfd.

<u>Remarque</u>.

La démonstration de la proposition 27 utilise de façon essentielle l'homomorphisme $\delta : H^1(R)^G \to H^2(G)$, défini au moyen de la suite spectrale, i.e. par "transgression". On peut en donner une définition plus élémentaire (cf. Hochschild-Serre, <u>Cohomology of group extensions</u>, Trans. Amer. Math. Soc.,

74, 1953) : on part de l'extension

$$1 \to R/R^* \to F/R^* \to G \to 1 ,$$

à noyau abélien R/R^*. Si $\pi : R/R^* \to \mathbb{Z}/p\mathbb{Z}$ est un élément de $H^1(R)^G$, π transforme cette extension en une extension E_π de G par $\mathbb{Z}/p\mathbb{Z}$. La classe de E_π dans $H^2(G)$ est alors égale à $-\delta(\pi)$. En particulier, sous les hypothèses du corollaire, on obtient une définition directe de l'isomorphisme

$\delta : H^1(R)^G \to H^2(G)$.

4.4. Un théorème de Šafarevič.

Soit G un p-groupe fini. Soit $n(G)$ le nombre minimum de générateurs de G, et $r(G)$ le nombre de relations entre ces générateurs (dans le pro-p-groupe libre correspondant). On vient de voir que $n(G) = \dim . H^1(G)$ et $r(G) = \dim . H^2(G)$.

[On pourrait aussi faire intervenir le nombre minimum $R(G)$ de relations définissant G comme groupe discret. Il est trivial que $R(G) \geqslant r(G)$, mais je ne vois aucune raison pour qu'il y ait toujours égalité.]

PROPOSITION 28. *Pour tout p-groupe fini* G, *on a* $r(G) \geqslant n(G)$. *La différence* $r(G) - n(G)$ *est égale au rang du groupe* $H^3(G, \mathbb{Z})$.

La suite exacte $0 \to \mathbb{Z} \to \mathbb{Z} \to \mathbb{Z}/p\mathbb{Z} \to 0$ fournit la suite exacte de cohomologie :

$$0 \to H^1(G) \to H^2(G, \mathbb{Z}) \xrightarrow{p} H^2(G, \mathbb{Z}) \to H^2(G) \to H^3(G, \mathbb{Z})_p \to 0 ,$$

où $H^3(G, \mathbb{Z})_p$ désigne le sous-groupe de $H^3(G, \mathbb{Z})$ formé des éléments annulés par p. Comme G est fini, tous ces groupes sont finis, et en faisant le produit alterné de leurs ordres, on trouve 1. Ceci donne l'égalité :

$$r(G) - n(G) = t , \quad \text{avec} \quad t = \dim . H^3(G, \mathbb{Z})_p .$$

Il est clair que t est aussi le nombre de facteurs cycliques de $H^3(G, \underline{\underline{Z}})$, i.e. le rang de ce groupe, d'où la proposition.

Le résultat ci-dessus conduit à se poser la question suivante : la différence $r(G) - n(G)$ peut-elle être petite ? Par exemple, peut-on avoir $r(G) - n(G) = 0$ pour de grandes valeurs de $n(G)$? [Dans les seuls exemples connus, on a $n(G) = 0, 1, 2$ ou 3, cf. Exercice 2.] C'est très improbable. Plus généralement :

S-1

CONJECTURE (Šafarevič, Stockholm 1962). *La différence* $r(G) - n(G)$ *tend vers l'infini avec* $n(G)$.

[En d'autres termes, pour tout entier k, il doit exister un entier N tel que $n(G) \geqslant N$ entraîne $r(G) - n(G) \geqslant k$.]

On peut même se demànder si $r(G)$ n'est pas minoré par une forme quadratique en $n(G)$, mais peut-être est-ce trop optimiste.

THÉORÈME (Šafarevič). *Si la conjecture précédente est vraie, le problème classique des "tours de corps de classes" admet une réponse négative* (i.e. il existe des "tours" infinies).

La démonstration s'appuie sur le résultat suivant :

PROPOSITION 29. *Soit* K/k *une extension galoisienne non ramifiée d'un corps de nombres* k, *dont le groupe de Galois* G *est un* p-*groupe fini*. *On suppose que* K *n'a aucune extension cyclique non ramifiée de degré* p. *On note* r_1 *(resp.* r_2*) le nombre de conjugués réels (resp. complexes) de* k. *On a alors* :

$$r(G) - n(G) \leq r_1 + r_2 \quad .$$

Démonstration (d'après Iwasawa, *A note on the group of units of an algebraic number field*, Journ. Liouville, 1956-57). Posons :

I_K = groupe des idèles de K ,

C_K = I_K/K^* , groupe des classes d'idèles de K ,

U_K = sous-groupe de I_K formé des éléments (x_v) tels que x_v soit une unité du corps K_v , pour toute v non archimédienne.

E_K = $K^* \cap U_K$, groupe des unités du corps K ,

E_k = groupe des unités du corps k ,

Cl_K = $I_K/U_K.K^*$ = groupe des classes d'idéaux de K .

On a les suites exactes :

$$0 \to U_K/E_K \to C_K \to Cl_K \to 0$$

$$0 \to E_K \to U_K \to U_K/E_K \to 0$$

Le fait que K n'a pas d'extension cyclique non ramifiée de degré p se traduit, via la théorie du corps de classes, en disant que Cl_K est d'ordre premier à p ; les groupes de cohomologie $\hat{H}^q(G, Cl_K)$ sont donc triviaux. Il en est de même des groupes $\hat{H}^q(G, U_K)$: cela résulte de ce que K/k est non ramifiée. Appliquant la suite exacte de cohomologie, on en déduit des isomorphismes

$$\hat{H}^q(G, C_K) \to \hat{H}^{q+1}(G, E_K).$$

D'autre part, la théorie du corps de classes montre que $\hat{H}^q(G, C_K)$ est isomorphe à $\hat{H}^{q-2}(G, \underline{\underline{Z}})$. En combinant ces isomorphismes, et en prenant $q = -1$, on voit que $\hat{H}^{-3}(G, \underline{\underline{Z}}) = \hat{H}^0(G, E_K) = E_k/N(E_K)$. Mais $\hat{H}^{-3}(G, \underline{\underline{Z}})$ est dual de $H^3(G, \underline{\underline{Z}})$, cf. [M], p.250, donc a même rang. Appliquant la proposition 28, on voit que $r(G) - n(G)$ est égal au rang de $E_k/N(E_K)$. D'après le théorème de Dirichlet, le groupe E_k peut être engendré par $r_1 + r_2$ éléments. Le rang de $E_k/N(E_K)$ est donc $\leqslant r_1 + r_2$, ce qui démontre la proposition. (Si k ne contient pas de racine p-ième de l'unité, on peut même majorer $r(G) - n(G)$ par $r_1 + r_2 - 1$.)

Revenons maintenant au théorème. Soit k un corps de nombres algébriques (totalement imaginaire si $p = 2$) et soit $k(p)$ la plus grande extension galoisienne non ramifiée de k dont le groupe de Galois G_k soit un pro-p-groupe. Il s'agit de prouver (modulo la conjecture de Šafarevič) l'existence de corps k tels que $k(p)$ soit infini. Supposons en effet que $k(p)$ soit fini. En appliquant la proposition précédente à $k(p)/k$, on voit que l'on a :

$$r(G_k) - n(G_k) \leqslant r_1 + r_2 \leqslant [k:\underline{\underline{Q}}] .$$

Or $n(G_k)$ est facile à évaluer, grâce à la théorie du corps de classes : c'est le rang de la composante p-primaire du groupe Cl_k. On peut construire des corps k, de degré borné, tels que $n(G_k) \to \infty$. Cela contredit la conjecture de Šafarevič, cqfd.

Exemple.

Prenons $p = 2$. Soient $p_1,\ldots,p_N$ des nombres premiers, deux à deux distincts, et congrus à 1 mod. 4. Soit $k = \underline{\underline{Q}}(\sqrt{-p_1\cdots p_N})$. Le corps k est un corps imaginaire quadratique. On a $r_1 = 0$, $r_2 = 1$. D'autre part, il est facile de voir que les extensions quadratiques de k engendrées par les $\sqrt{p_i}$, avec $1 \leqslant i \leqslant N$, sont non ramifiées et indépendantes. On a donc $n(G_k) \geqslant N$. et $r(G_k) - n(G_k) \leqslant 1$.
Cet exemple montre qu'il suffirait d'avoir une forme très faible de la conjecture de Šafarevič pour obtenir des "tours" infinies.

Exercices.

1. Démontrer l'inégalité $r(G) \geqslant n(G)$ de la prop. 28 en passant au quotient par le groupe des commutateurs de G.

2. Soit n un entier. On considère des systèmes $c(i,j,k)$ d'entiers, avec $i,j,k \in [1,n]$, qui sont alternés en (i,j) .

(a) Montrer que, pour tout $n \geqslant 3$, il existe un tel système jouissant de la propriété suivante :

(*) - Si des éléments $x_1,\dots,x_n$ d'une algèbre de Lie $\underline{g}$ de caractéristique p vérifient les relations

$$[x_i,x_j] = \sum_k c(i,j,k)\, x_k \quad ,$$

on a $x_i = 0$ pour tout i .

(b) A tout système $c(i,j,k)$, on associe le pro-p-groupe G_c défini par n générateurs x_i , et par les relations

$$(x_i,x_j) = \prod x_k^{p.c(i,j,k)} \quad , \quad i < j \ ,$$

avec $(x,y) = xyx^{-1}y^{-1}$.

Montrer que $\dim. H^1(G_c) = n$ et $\dim. H^2(G_c) = n(n-1)/2$.

(c) On suppose $p \neq 2$. Montrer que, si le système $c(i,j,k)$ vérifie la propriété (*) de (a) , le groupe G_c correspondant est <u>fini</u> .

[Filtrer G en posant $G_1 = G$, $G_{n+1} = G_n^p.(G,G_n)$. Le gradué associé $gr(G)$ est une algèbre de Lie sur $\underline{\underline{Z}}/p\underline{\underline{Z}}\,[\pi]$, où $\deg(\pi) = 1$. Montrer que l'on a $[x_i,x_j] = \sum c(i,j,k)\,\pi.x_k$ dans $gr(G)$.

En déduire que $gr(G)[\frac{1}{\pi}] = 0$, d'où la finitude de $gr(G)$, et celle de G .]

(d) Comment faut-il modifier ce qui précède lorsque $p = 2$?

(e) Montrer que le pro-p-groupe engendré par 3 générateurs x,y,z liés par les 3 relations

$$xyx^{-1} = y^{1+p} \ , \ yzy^{-1} = z^{1+p} \ , \ zxz^{-1} = x^{1+p}$$

est un groupe fini (cf. J. Mennicke, Archiv der Math., X, 1959) .

4.5. Groupes de Poincaré.

Soit n un entier $\geqslant 1$, et soit G un pro-p-groupe. Nous dirons que G est un *groupe de Poincaré de dimension* n si G vérifie les conditions suivantes :

(i) $H^i(G) = H^i(G, \mathbf{Z}/p\mathbf{Z})$ *est fini pour tout* i .

(ii) $\dim. H^n(G) = 1$.

(iii) *Le cup-produit*

$$H^i(G) \times H^{n-i}(G) \to H^n(G) \quad , \; i \geqslant 0$$

quelconque, est une forme bilinéaire non dégénérée.

On peut exprimer plus brièvement ces conditions en disant que l'algèbre $H^*(G)$ est de dimension finie, et vérifie la dualité de Poincaré. Noter que la condition (iii) entraîne que $H^i(G) = 0$ pour $i > n$. On a donc $cd(G) = n$.

Exemples.

(1) Le seul groupe de Poincaré de dimension 1 est $\mathbf{Z}_p$ (à isomorphisme près).

(2) Si G est un groupe de Poincaré de dimension 2, on a $\dim.H^2(G) = 1$ ce qui montre que G peut être défini par une seule relation (cf. n° 4.3), cette relation n'étant d'ailleurs pas quelconque. On peut en fait la mettre sous forme canonique (du moins pour $p \neq 2$) ; voir là-dessus l'exposé 252 du séminaire Bourbaki sur les travaux de Demuškin.

voir S-2

(3) M.Lazard a montré que, si G est un groupe analytique p-adique de dimension n, compact et sans torsion, alors G est un groupe de Poincaré de dimension n. Cela fournit une bonne

provision de tels groupes (autant - et même plus - que d'algèbres de Lie de dimension n sur $\mathbb{Q}_p$) .

Si G est un groupe de Poincaré de dimension n , la condition (i) , jointe au corollaire à la prop. 20, montre que les $H^i(G, A)$ sont finis, pour tout A fini. Comme d'autre part, on a $cd(G) = n$, le <u>module dualisant</u> I de G est défini (cf. n° 3.5). On va voir qu'il fournit une vraie "dualité de Poincaré" :

PROPOSITION 30. *Soit* G *un pro-p-groupe de Poincaré de dimension* n *, et soit* I *son module dualisant. Alors :*

(a) I *est isomorphe à* $\mathbb{Q}_p/\mathbb{Z}_p$ *(comme groupe abélien)* .

(b) *L'homomorphisme canonique* $i : H^n(G, I) \to \mathbb{Q}/\mathbb{Z}$ *est un isomorphisme de* $H^n(G, I)$ *sur* $\mathbb{Q}_p/\mathbb{Z}_p$ *(identifié à un sous-groupe de* $\mathbb{Q}/\mathbb{Z}$*)* .

(c) *Pour tout* $A \in C_G^f$ *et tout entier* i *, le cup-produit*

$$H^i(G, A) \times H^{n-i}(G, \tilde{A}) \to H^n(G, I) = \mathbb{Q}_p/\mathbb{Z}_p$$

met en dualité les deux groupes finis $H^i(G, A)$ *et* $H^{n-i}(G, \tilde{A})$.

[On note C_G^f la catégorie des G-modules discrets finis qui sont p-primaires. Si A est un G-module, on pose $\tilde{A} = \mathrm{Hom}(A, I)$, cf. n° 3.5.]

La démonstration se fait en plusieurs étapes :

(1) - *Dualité lorsque* A *est annulé par* p .

C'est alors un $\mathbb{Z}/p\mathbb{Z}$ -espace vectoriel. Son dual sera noté A^* (on verra plus tard qu'il s'identifie à $\tilde{A}$) . Le cup-produit définit pour tout i une forme bilinéaire

$$H^i(G, A) \times H^{n-i}(G, A^*) \to H^n(G) = \mathbb{Z}/p\mathbb{Z} .$$

Cette forme est *non dégénérée*. En effet, c'est vrai lorsque $A = \mathbb{Z}/p\mathbb{Z}$

par définition même des groupes de Poincaré. Vu le corollaire à la prop. 20, il suffit donc de montrer que, si l'on a une suite exacte

$0 \to B \to A \to C \to 0$, et si notre assertion est vraie pour B et pour C , elle est vraie pour A . Cela résulte d'un petit diagramme de type standard. Plus précisément, la forme bilinéaire écrite ci-dessus équivaut à la donnée d'un homomorphisme

$$\alpha_i : H^i(G, A) \to H^{n-i}(G, A^*)^* ,$$

et dire qu'elle est non dégénérée signifie que α_i est un isomorphisme. D'autre part, on a la suite exacte :

$$0 \to C^* \to A^* \to B^* \to 0 .$$

En passant aux suites exactes de cohomologie, et en dualisant, on obtient le diagramme :

$$\begin{array}{ccccccccc} \dots \to & H^{i-1}(G, C) & \to & H^i(G, B) & \to & H^i(G, A) & \to & H^i(G, C) & \to \dots \\ & \downarrow & - & \downarrow & + & \downarrow & + & \downarrow & \\ \dots \to & H^{j+1}(G, C^*)^* & \to & H^j(G, B^*)^* & \to & H^j(G, A^*)^* & \to & H^j(G, C^*)^* & \to \dots \end{array}$$

avec $j = n - i$.

On vérifie, par un simple calcul de cochaînes, que les carrés extraits de ce diagramme sont commutatifs au signe près [de façon plus précise, les carrés marqués + sont commutatifs, et le carré marqué - a pour signature $(-1)^i$]. Comme les flèches verticales relatives à B et C sont des isomorphismes, il en est de même de celles relatives à A , ce qui démontre notre assertion.

(2) - Le sous-groupe I_p de I formé des éléments annulés par p est isomorphe à $\mathbb{Z}/p\mathbb{Z}$.

Prenons A annulé par p . Le résultat que l'on vient de démontrer prouve que $H^n(G, A)^*$ est fonctoriellement isomorphe à $\mathrm{Hom}^G(A, \mathbb{Z}/p\mathbb{Z})$.

D'autre part, la définition même du module dualisant montre qu'il est aussi isomorphe à $\mathrm{Hom}^G(A, I_p)$. Vu l'unicité de l'objet représentant un foncteur donné, on a bien $I_p = \mathbb{Z}/p\mathbb{Z}$.

(3) - _Le module dualisant_ I _est isomorphe (comme groupe abélien) à_ $\mathbb{Z}/p^k\mathbb{Z}$ _ou à_ $\mathbb{Q}_p/\mathbb{Z}_p$.

Cela résulte la relation $I_p = \mathbb{Z}/p\mathbb{Z}$, et des propriétés élémentaires des groupes de torsion p-primaires.

(4) - _Si_ U _est un sous-groupe ouvert de_ G, U _est un groupe de Poincaré de dimension_ n, _et_ $\mathrm{Cor} : H^n(U) \to H^n(G)$ _est un isomorphisme._

Soit $A = M_G^U(\mathbb{Z}/p\mathbb{Z})$. On vérifie facilement que A^* est isomorphe à A et la dualité démontrée dans (1) prouve que $H^i(U)$ et $H^{n-i}(U)$ sont duaux l'un de l'autre. En particulier, $\dim . H^n(U) = 1$, et comme $\mathrm{Cor} : H^n(U) \to H^n(G)$ est surjectif (n° 3.3, lemme 4), c'est un isomorphisme. Enfin, il n'est pas difficile de montrer que la dualité entre $H^i(U)$ et $H^{n-i}(U)$ est bien celle du cup-produit.

(5) - _Pour tout_ $A \in C_G^f$, _posons_ $T^i(A) = \varprojlim H^i(U, A)$, _pour_ U _ouvert dans_ G (les homomorphismes étant ceux de corestriction). _On a alors_ $T^i(A) = 0$ _pour_ $i \neq n$, _et_ $T^n(A)$ _est un foncteur exact en_ A _(à valeurs dans la catégorie des groupes profinis abéliens)._

Il est clair que les T^i forment un foncteur cohomologique (le foncteur $\varprojlim$ étant exact sur la catégorie des groupes profinis). Pour montrer que $T^i = 0$ pour $i \neq n$, il suffit donc de le prouver pour $A = \mathbb{Z}/p\mathbb{Z}$. Mais alors les $H^i(U)$ sont duaux des $H^{n-i}(U)$, et on est ramené à montrer que $\varinjlim H^j(U) = 0$ pour $j \neq 0$, les homomorphismes étant ceux de _restriction_, ce qui est trivial (et vrai pour tout groupe profini et tout module).

Une fois démontrée la nullité des T^i , $i \neq n$, l'exactitude de T^n est automatique.

(6) - Le groupe I est isomorphe à $\mathbb{Q}_p/\mathbb{Z}_p$, comme groupe abélien. On sait que $H^n(U, A)$ est dual de $\mathrm{Hom}^U(A, I)$. En passant à la limite, on en déduit que $T^n(A) = \varprojlim.\ H^n(U, A)$ est dual de $\lim.\mathrm{Hom}^U(A, I) = \mathrm{Hom}(A, I)$. Vu (5), le foncteur $\mathrm{Hom}(A, I)$ est exact; cela signifie que I est $\mathbb{Z}$-divisible, et, en comparant avec (3), on voit qu'il est isomorphe à $\mathbb{Q}_p/\mathbb{Z}_p$.

(7) - L'homomorphisme $H^n(G, I) \to \mathbb{Q}_p/\mathbb{Z}_p$ est un isomorphisme.

Le groupe des $\mathbb{Z}$-endomorphismes de I est isomorphe à $\mathbb{Z}_p$ (opérant de façon évidente). Comme ces opérations commutent à l'action de G , on voit que $\mathrm{Hom}^G(I, I) = \mathbb{Z}_p$. Mais d'autre part, $\mathrm{Hom}^G(I, I)$ est aussi égal au dual de $H^n(G, I)$, cf. n° 3.5. On a donc un isomorphisme canonique $H^n(G, I) \to \mathbb{Q}_p/\mathbb{Z}_p$, et il n'est pas difficile de voir que c'est l'homomorphisme i .

(8) - Fin de la démonstration.

Il reste la partie (c) , autrement dit la dualité entre $H^i(G, A)$ et $H^{n-i}(G, A)$. Cette dualité est vraie pour $A = \mathbb{Z}/p\mathbb{Z}$, par hypothèse. A partir de là, on procède par dévissage, exactement comme dans (1) . Il suffit simplement d'observer que, si $0 \to A \to B \to C \to 0$ est une suite exacte dans C_G^f , la suite $0 \to \tilde{C} \to \tilde{B} \to \tilde{A} \to 0$ est aussi exacte (cela provient de ce que I est divisible) : on peut alors utiliser le même genre de diagramme.

COROLLAIRE. Tout sous-groupe ouvert d'un groupe de Poincaré est un groupe de Poincaré de même dimension.

On l'a vu en cours de route.

Remarques.

1) Le fait que I soit isomorphe à $\mathbb{Q}_p/\mathbb{Z}_p$ montre que $\tilde{\tilde{A}}$ est canoniquement isomorphe à A (comme G-module). On a une excellente dualité.

2) Notons U_p le groupe des unités p-adiques (éléments inversibles de $\mathbb{Z}_p$). C'est le groupe des automorphismes de I. Comme G opère sur I, on voit que cette opération est donnée par un homomorphisme canonique

$$\chi : G \to U_p$$

Cet homomorphisme est continu; il détermine I (à isomorphisme près); on peut dire qu'il joue le rôle de l'homomorphisme d'orientation $\pi_1 \to \{\pm 1\}$ de la topologie. Noter que, puisque G est un pro-p-groupe, χ prend ses valeurs dans le sous-groupe $U_p^{(1)}$ de U_p formé des éléments $\equiv 1$ mod.p. L'homomorphisme χ est l'un des invariants les plus intéressants du groupe G ; on va voir qu'il détermine en particulier la dimension cohomologique stricte de G :

PROPOSITION 31. Soit G un pro-p-groupe de Poincaré de dimension n, et soit $\chi : G \to U_p$ l'homomorphisme qui lui est associé. Pour que $\mathrm{scd}(G)$ soit égal à $n+1$, il faut et il suffit que l'image de χ soit finie.

Dire que $\mathrm{Im}(\chi)$ est finie revient à dire qu'il existe un sous-groupe ouvert U de G tel que $\chi(U) = \{1\}$. Or cette dernière condition signifie que I^U contient (et est en fait égal à) $\mathbb{Q}_p/\mathbb{Z}_p$. D'où le résultat, en vertu de la prop. 19.

Remarque.

La structure du groupe $U_p^{(1)}$ est bien connue : si $p \neq 2$, il est isomorphe à $\mathbb{Z}_p$, et si $p = 2$, il est isomorphe à $\{\pm 1\} \times \mathbb{Z}_2$ (cf. par exemple [CL], p. 220). La prop. 31 peut donc se reformuler ainsi :

Pour $p \neq 2$, $scd(G) = n+1$ équivaut à dire que χ est trivial.

Pour $p = 2$, $scd(G) = n+1$ équivaut à dire que $\chi(G) = \{1\}$ ou $\{\pm 1\}$.

La proposition suivante est utile dans l'étude des "groupes de Demuškin" :

PROPOSITION 32. _Soit_ G _un pro-p-groupe, et soit_ n _un entier_ ≥ 1 . _Supposons que_ $H^i(G)$ _soit fini pour_ $i \leq n$, _que_ $\dim.H^n(G) = 1$, _et que le cup-produit_ $H^i(G) \times H^{n-i}(G) \to H^n(G)$ _soit non dégénéré pour_ $i \leq n$. _Si en outre_ G _est infini, c'est un groupe de Poincaré de dimension_ n .

Il suffit évidemment de prouver que $H^{n+1}(G) = 0$. Pour cela, il faut d'abord établir quelques propriétés de dualité :

(1) _Dualité pour les G-modules finis_ A _annulés par_ p .

On procède comme dans le (1) de la démonstration de la prop. 30. Le cup-produit définit des homomorphismes

$$\alpha_i : H^i(G, A) \to H^{n-i}(G, A^*)^* , \quad 0 \leq i \leq n .$$

Par hypothèse, ce sont des isomorphismes pour $A = \mathbb{Z}/p\mathbb{Z}$. Par dévissage on en conclut facilement que ce sont des isomorphismes pour $1 \leq i \leq n-1$, que α_0 est surjectif, et que α_n est injectif [la différence avec la situation de la prop. 30 est qu'on ignore si les H^{n+1} sont nuls, ce qui donne de légers ennuis aux extrémités des suites exactes] .

(2) _Le foncteur_ $H^0(G, A)$ _est coeffaçable._

C'est une propriété générale des groupes profinis dont l'ordre est divisible par p^{∞}:

Si A est annulé par p^k (ici $k = 1$, mais peu importe), on choisit un sous-groupe ouvert U de G opérant trivialement sur A , puis un sous-groupe ouvert V de U d'indice divisible par p^k . On pose $A' = M_G^V(A)$, et on considère l'homomorphisme surjectif $\pi : A' \to A$, défini au n° 2.5. Par passage à H^0, on obtient $\mathrm{Cor} : H^0(V, A) \to H^0(G, A)$. Cet homomorphisme est nul; en effet, il est égal à $N_{G/V}$, lequel est égal à $(U:V).N_{G/U}$. L'homomorphisme $H^0(G, A') \to H^0(G, A)$ est donc nul, ce qui entraîne que H^0 est coeffaçable.

(3) <u>La dualité vaut en dimensions</u> 0 <u>et</u> n .

Il s'agit de prouver que α_0 et α_n sont bijectifs pour tout A annulé par p . Il suffit (par transposition) de le faire pour α_0 . On choisit une suite exacte $0 \to B \to C \to A \to 0$, telle que $H^0(G, C) \to H^0(G, A)$ soit nul. On a alors le diagramme :

$$\begin{array}{ccccccc} 0 & \to & H^0(G, A) & \to & H^1(G, B) & \to & H^1(G, C) \\ \downarrow & & \downarrow & & \downarrow & & \downarrow \\ H^n(G, C^*)^* & \to & H^n(G, A^*)^* & \to & H^{n-1}(G, B^*)^* & \to & H^{n-1}(G, C^*)^* \end{array} .$$

Les flèches relatives aux H^1 sont des isomorphismes. Il s'ensuit que α_0 est injectif, d'où le résultat puisqu'on sait déjà qu'il est surjectif.

(4) <u>Le foncteur</u> H^n <u>est exact à droite</u>.

Cela résulte par dualité de ce que H^0 est exact à gauche.

(5) <u>Fin de la démonstration</u>.

Le résultat que l'on vient de démontrer entraîne que $cd(G) \leq n$. En effet, si $x \in H^{n+1}(G, A)$, x induit 0 sur un sous-groupe ouvert U de G , et donne donc 0 dans $H^{n+1}(G, M_G^U(A))$. En utilisant la suite exacte, et le fait que H^n est exact à droite, on voit que $x = 0$, cqfd.

<u>Exercices</u>.

1. Donner des exemples de p-groupes finis dont la cohomologie vérifie la dualité de Poincaré jusqu'à une certaine dimension.

2. Soit G le groupe fondamental d'une surface compacte S de genre g ; on suppose $g \geqslant 1$ si S est orientable et $g \geqslant 2$ sinon. Soit $\hat{G}_p$ le p-complété de G. Montrer que c'est un groupe de Poincaré de dimension 2, et que, pour tout $\hat{G}_p$-module fini et p-primaire A, $H^i(\hat{G}_p, A) \to H^i(G,A)$ est un isomorphisme. Montrer que la dimension cohomologique stricte de $\hat{G}_p$ est égale à 3, et expliciter l'invariant χ de $\hat{G}_p$.

3. Soit G le pro-p-groupe défini par deux générateurs x,y liés par la relation $xyx^{-1} = y^q$, avec $q \in \mathbb{Z}_p$, $q \equiv 1 \bmod. p$. Montrer que G est un groupe de Poincaré de dimension 2, et que son invariant χ est donné par les formules :

$$\chi(y) = 1 \quad , \quad \chi(x) = q \ .$$

Dans quel cas ce groupe est-il de dimension cohomologique stricte égale à 3 ?

Application au p-groupe de Sylow du groupe affine $ax + b$ sur $\mathbb{Z}_p$.

4. Soit G un pro-p-groupe de Poincaré de dimension n, et soit I son module dualisant. Soit $J = \mathrm{Hom}(\mathbb{Q}_p/\mathbb{Z}_p, I)$. Le G-module J est isomorphe à $\mathbb{Z}_p$ comme groupe compact, le groupe G opérant au moyen de χ.

(a) Soit A un G-module fini p-primaire. On pose $A_o = A \otimes J$, le produit tensoriel étant pris sur $\mathbb{Z}_p$. Montrer que $\tilde{A}_o$ est canoniquement isomorphe au dual A^* de A.

(b) Pour tout entier $i \geqslant 0$, on considère la limite projective $H_i(G, A)$ des groupes d'homologie $H_i(G/U, A)$, où U est ouvert distingué dans G et opère trivialement dans A. Etablir un isomorphisme canonique

$$H_i(G, A) = H^{n-i}(G, A_o) \ .$$

[On utilisera la dualité existant entre $H_i(G/U, A)$ et $H^i(G/U, A^*)$, cf. [M], p. 249-250.]

§ 5. Cohomologie non abélienne.

Dans tout ce paragraphe, G désigne un groupe profini.

5.1. Définition de H^0 et de H^1.

Un *G-ensemble* E est un espace topologique discret sur lequel G opère continûment ; comme dans le cas des G-modules, cela revient à dire que $E = \bigcup E^U$, pour U parcourant l'ensemble des sous-groupes ouverts de G (on note E^U le sous-ensemble de E formé des éléments invariants par U). Si $s \in G$ et $x \in E$, le transformé $s(x)$ de x par s sera souvent noté ${}^s x$ [mais jamais x^s, pour éviter l'horrible formule $x^{(st)} = (x^t)^s$]. Si E et E' sont deux G-ensembles, un *morphisme* de E dans E' est une application $f : E \longrightarrow E'$ qui commute à l'action de G ; lorsqu'on voudra préciser G, on dira "G-morphisme". Les G-ensembles forment une catégorie.

Un *G-groupe* A est un groupe dans la catégorie précédente ; cela revient à dire que c'est un G-ensemble, muni d'une structure de groupe invariante par G (i.e. ${}^s(xy) = {}^s x\, {}^s y$). Lorsque A est commutatif, on retrouve la notion de G-*module*, utilisée dans les paragraphes précédents.

Si E est un G-ensemble, on pose $H^0(G, E) = E^G$, ensemble des éléments de E invariants par G. Si E est un G-groupe, $H^0(E, G)$ est un groupe.

Si A est un G-groupe, on appelle *cocycle à valeurs dans* A une application $s \rightarrow a_s$ de G dans A qui est continue et vérifie l'identité :

$$a_{st} = a_s\, {}^s a_t \quad (s, t \in G).$$

L'ensemble de ces cocycles sera noté $Z^1(G, A)$. Deux cocycles a et a' sont dits *cohomologues* s'il existe $b \in A$ tel que $a'_s = b^{-1} a_s\, {}^s b$. C'est là une relation d'équivalence dans $Z^1(G, A)$, et l'ensemble quotient est noté $H^1(G, A)$.

C'est le "premier ensemble de cohomologie de G dans A " ; il possède un élément distingué (appelé "élément neutre" bien qu'il n'y ait pas de loi de composition sur $H^1(G, A)$ dans le cas général) : la classe du cocycle unité ; on le note indifféremment 0 ou 1. On vérifie immédiatement que

$$H^1(G, A) = \varinjlim . H^1(G/U, A^U) ,$$

pour U parcourant l'ensemble des sous-groupes ouverts distingués de G.

Les ensembles de cohomologie $H^0(G, A)$ et $H^1(G, A)$ sont fonctoriels en A , et coïncident avec les groupes de cohomologie de dimension 0 et 1 lorsque A est commutatif.

Remarques.

1) On aurait bien envie de définir aussi $H^2(G, A)$, $H^3(G, A)$, ... Il y a des gens (Dedecker, notamment) qui disent avoir une bonne définition du H^2 ; le rédacteur, après avoir été longtemps sceptique, commence à croire qu'ils ont raison.

2) Les H^1 non abéliens sont des ensembles pointés ; la notion de suite exacte a donc un sens (l'image d'une application est égale à l'image réciproque de l'élément neutre) ; toutefois, une telle suite exacte ne donne aucun renseignement sur la relation d'équivalence définie par une application ; on remédiera à ce défaut (particulièrement sensible dans [CL], p.131-134), grâce à la notion de "torsion", développée au n° 5.3.

5.2. Espaces principaux homogènes sur A - nouvelle définition de $H^1(G, A)$.

Soit A un G-groupe, et soit E un G-ensemble. On dira que A opère à gauche sur E (de façon compatible avec l'action de G) s'il opère sur E au sens usuel et si ${}^s(a.x) = {}^sa.{}^sx$ pour $a \in A$, $x \in E$ (ce qui revient à dire que l'application canonique de $A \times E$ dans E est un G-morphisme). On écrira aussi ${}_A E$ pour rappeler que A opère à gauche (notation évidente pour les opérations à droite).

Un espace principal homogène sur A est un G-ensemble non vide P, sur lequel A opère à droite (de façon compatible avec G) de façon à en faire un "espace affine" sur A (i.e. pour tout couple $x, y \in P$, il existe un $a \in A$ et u seul tel que $y = x.a$). La notion d'isomorphisme entre deux tels espaces se définit de façon évidente.

PROPOSITION 33. Soit A un G-groupe. Il y a une correspondance bijective entre l'ensemble des classes d'espaces principaux homogènes sur A et l'ensemble $H^1(G, A)$.

Soit $P(A)$ le premier ensemble. On définit une application

$$\lambda : P(A) \to H^1(G, A)$$

de la manière suivante :

Si $P \in P(A)$, on choisit un point $x \in P$. Si $s \in G$, on a ${}^s x \in P$, donc il existe un $a_s \in A$ tel que ${}^s x = x.a_s$. On vérifie tout de suite que a_s est un cocycle. Changer x en $x.b$ change ce cocycle en $b^{-1} a_s {}^s b$, qui lui est cohomologue. On peut donc définir λ en convenant que $\lambda(P)$ est la classe de a_s.

En sens inverse, on définit $\mu : H^1(G, A) \to P(A)$ ainsi :

Si $a_s \in Z^1(G, A)$, on note P_a le groupe A sur lequel G opère par la formule "tordue" suivante :

$$^{s\prime}x = a_s . {}^s x \quad .$$

Si l'on fait opérer A à droite sur P_a par translation, on obtient un espace principal homogène. Deux cocycles cohomologues conduisent à des espaces isomorphes. Cela définit l'application μ, et on vérifie sans mal que $\lambda \circ \mu = 1$

et $\mu \circ \lambda = 1$.

Remarque.

Les principaux considérés ci-dessus sont des principaux à droite. On définit de même la notion de principal à gauche ; on laisse au lecteur le soin de définir une correspondance biunivoque entre les deux notions.

5.3. Torsion.

Soit A un G-groupe, et soit P un espace principal homogène sur A. Soit F un G-ensemble où A opère à gauche (de façon compatible avec G). Sur $P \times F$, considérons la relation d'équivalence qui identifie un élément (p, f) aux éléments $(p.a, a^{-1}f)$, $a \in A$. Cette relation est compatible avec l'action de G , et le quotient est un G-ensemble, noté $P \times^{A} F$, ou ${}_{P}F$. Un élément de $P \times^{A} F$ s'écrit sous la forme $p.f$, $p \in P$, $f \in F$, et l'on a $(pa)f = p(af)$, ce qui justifie la notation. Noter que, pour tout $p \in P$, l'application $f \to p.f$ est une bijection de F sur ${}_{P}F$; pour cette raison, on dit que ${}_{P}F$ est obtenu à partir de F en tordant au moyen de P.

L'opération de torsion peut aussi se définir du point de vue des cocycles. Si $(a_s) \in Z^1(G, A)$, on note ${}_{a}F$ l'ensemble F sur lequel G opère par la formule

$$ {}^{s\prime}f = a_s . {}^{s}f . $$

On dit que ${}_{a}F$ s'obtient en tordant F au moyen du cocycle a_s .

La liaison entre ces deux points de vue est facile à faire : si $p \in P$, on a vu que p définit un cocycle a_s par la formule ${}^{s}p = p.a_s$. L'application $f \to p.f$ de tout à l'heure est un isomorphisme du G-ensemble ${}_{a}F$ sur le G-ensemble ${}_{P}F$; on a en effet

$$ p. {}^{s\prime}f = p.a_s . {}^{s}f = {}^{s}p . {}^{s}f = {}^{s}(p.f) . $$

Ceci montre en particulier que ${}_aF$ <u>est isomorphe à</u> ${}_bF$ <u>si</u> a <u>et</u> b <u>sont cohomologues</u>.

<u>Remarque</u>.

Il faut observer qu'il n'y a pas en général d'isomorphisme canonique entre ${}_aF$ et ${}_bF$, et que par suite il est <u>impossible d'identifier</u> ces deux ensembles, comme on serait tenté de le faire. En particulier, la notation ${}_\alpha F$, avec $\alpha \in H^1(G, A)$, <u>n'a aucun sens</u>. Inutile de dire qu'une telle difficulté existe tout aussi bien en topologie dans la théorie des espaces fibrés (que nous sommes d'ailleurs en train de démarquer). L'opération de torsion jouit d'un certain nombre de propriétés élémentaires :

(a) ${}_aF$ est fonctoriel en F (pour des A-morphismes $F \to F'$),

(b) On a ${}_a(F \times F') = {}_aF \times {}_aF'$.

(c) Si un G-groupe B opère à droite sur F (de façon à commuter à l'action de A), B opère aussi sur ${}_aF$.

(d) Si F est muni d'une structure de G-groupe invariante par A , cette même structure sur ${}_aF$ est encore une structure de G-groupe.

<u>Exemples</u>.

1) On prend pour F le groupe A lui-même, les opérations étant les translations à gauche. Comme les translations à droite commutent aux translations à gauche, la propriété (c) ci-dessus montre que A opère à droite sur ${}_aF$, et l'on voit tout de suite que l'on obtient ainsi un espace principal homogène sur A (c'est celui noté ${}_aP$ au n° précédent).

Dans la notation $P \times^A F$, cela s'écrit :

$$P \times^A A = P ,$$

formule de simplification que l'on rapprochera de $E \otimes_A A = E$.

2) On prend encore pour F le groupe A, les opérations étant cette fois données par les <u>automorphismes intérieurs</u>. Comme ceux-ci respectent la structure de groupe de A, la propriété (d) montre que ${}_aA$ <u>est un</u> G-<u>groupe</u> [on pourrait tordre de même tout sous-groupe distingué de A]. Par définition, ${}_aA$ a même ensemble sous-jacent que A, et les opérations de G sur ${}_aA$ sont données par la formule

$$^{s\prime}x = a_s . {}^sx . a_s^{-1} \qquad (s \in G \ , \ x \in A).$$

PROPOSITION 34. <u>Soit</u> F <u>un</u> G-<u>ensemble où</u> A <u>opère à gauche</u> (de façon compatible avec G), <u>et soit</u> a <u>un cocycle de</u> G <u>dans</u> A. <u>Alors le groupe tordu</u> ${}_aA$ <u>opère sur</u> ${}_aF$, <u>de façon compatible avec</u> G.

Il faut voir que l'application $(a, x) \to ax$ de ${}_aA \times {}_aF$ dans ${}_aF$ est un G-morphisme. C'est un calcul immédiat.

COROLLAIRE. <u>Si</u> P <u>est un principal homogène sur</u> A, <u>le groupe</u> ${}_PA$ <u>opère à gauche sur</u> P, <u>et fait de</u> P <u>un espace principal homogène à gauche sur</u> ${}_PA$.

Le fait que ${}_PA$ opère sur P est un cas particulier de la proposition 34 (ou se voit directement, au choix). Il est clair que cela définit sur P une structure d'espace homogène principal à gauche sur ${}_PA$.

<u>Remarque</u>.

Si A et A' sont deux G-groupes, on définit de manière évidente la notion d'espace (A,A')-principal : c'est un espace principal sur A (à gauche), et sur A' (à droite), les opérations de A et A' commutant. Si P est un tel espace, le corollaire précédent montre que A s'identifie à ${}_PA'$. Si Q est un espace (A', A'')-principal (A'' étant un autre G-groupe), l'espace $P \circ Q = P \times^{A'} Q$ est muni d'une structure canonique d'espace (A, A'')-principal. On obtient ainsi une loi de composition (non partout définie) sur l'ensemble des espaces "biprincipaux".

PROPOSITION 35. _Soit_ P _un espace principal à droite sur un_ G-_groupe_ A , _et soit_ $A' = {}_P A$ _le groupe correspondant. Si l'on associe à tout espace principal homogène_ Q _(à droite) sur_ A' _le composé_ $Q \circ P$, _on obtient une bijection de_ $H^1(G, A')$ _sur_ $H^1(G, A)$ _qui transforme l'élément neutre de_ $H^1(G, A')$ _en la classe_ π _de_ P _dans_ $H^1(G, A)$.

[Plus brièvement : si l'on tord un groupe A par un cocycle de A lui-même, on trouve un groupe A' qui a même cohomologie que A en dimension 1.]

On définit l'opposé $\bar{P}$ de P ainsi : c'est un espace (A, A')-principal, identique à P comme G-ensemble, le groupe A opérant à gauche par $a.p = p.a^{-1}$, et le groupe A' à droite par $p.a' = a'^{-1}.p$. En faisant correspondre à tout principal à droite R sur A le composé $R \circ \bar{P}$, on obtient par passage aux classes une application réciproque de celle donnée par $Q \rightsquigarrow Q \circ P$, d'où la proposition.

PROPOSITION 35 bis. _Soit_ $a \in Z^1(G, A)$, _et soit_ $A' = {}_a A$. _A tout cocycle_ a'_s _dans_ A' _associons_ $a'_s.a_s$; _on obtient un cocycle de_ G _dans_ A , _d'où une bijection_

$$t_a : Z^1(G, A') \longrightarrow Z^1(G, A).$$

Par passage au quotient, t_a _définit une bijection_

$$\tau_a : H^1(G, A') \rightarrow H^1(G, A)$$

transformant l'élément neutre de $H^1(G, A')$ _en la classe_ α _de_ a.

C'est essentiellement une transcription de la proposition précédente en termes de cocycles. On peut aussi la démontrer par calcul direct.

Remarques.

1) Lorsque A est abélien, on a $A' = A$ et τ_a est simplement la translation par la classe α de a.

2) Les propositions 35 et 35 bis, pour évidentes qu'elles soient, n'en sont pas moins utiles. Ce sont elles, on le verra, qui permettent de déterminer les relations d'équivalence qui interviennent dans les diverses "suites exactes de cohomologie".

Exercice.

Soit A un G-groupe. Soit $E(A)$ l'ensemble des classes d'espaces (A, A)-principaux. Montrer que la composition fait de $E(A)$ un groupe, et que ce groupe opère sur $H^1(G, A)$. Si A est abélien, $E(A)$ est produit semi-direct de $H^1(G, A)$ par le groupe $\mathrm{Aut}(A)$. Dans le cas général, montrer que $E(A)$ contient comme sous-groupe le quotient de $\mathrm{Aut}(A)$ par les automorphismes intérieurs définis par les éléments de A^G. Comment peut-on définir $E(A)$ au moyen de cocycles ?

5.4. Suite exacte de cohomologie associée à un sous-groupe.

Soient A et B deux G-groupes, et soit $u : A \longrightarrow B$ un G-homomorphisme. Cet homomorphisme définit une application

$$v : H^1(G, A) \rightarrow H^1(G, B).$$

Soit $\alpha \in H^1(G, A)$. Supposons que l'on veuille décrire la fibre de α pour v, c'est-à-dire l'ensemble $v^{-1}(v(\alpha))$. Choisissons un cocycle a représentatif de α, et soit b son image dans B. Si l'on pose $A' = {}_aA$, $B' = {}_bB$, il est clair que u définit un homomorphisme

$$u' : A' \rightarrow B',$$

d'où $v' : H^1(G, A') \rightarrow H^1(G, B')$.

On a en outre le diagramme commutatif suivant (où les lettres τ_a et τ_b désignent les bijections définies au n° précédent) :

$$\begin{array}{ccc} H^1(G, A) & \xrightarrow{v} & H^1(G, B) \\ \tau_a \uparrow & & \tau_b \uparrow \\ H^1(G, A') & \xrightarrow{v'} & H^1(G, B'). \end{array}$$

Comme τ_b transforme l'élément neutre de $H^1(G, B')$ en $v(\alpha)$, on en déduit que τ_a <u>est une bijection du noyau de</u> v' <u>sur la fibre</u> $v^{-1}(v(\alpha))$ <u>de</u> α. En d'autres termes, la torsion permet de transformer toute fibre de v en un noyau - et ces noyaux eux-mêmes peuvent figurer dans des suites exactes (cf. [CL], <u>loc.cit.</u>).

On va appliquer ce principe au cas le plus simple, celui où A <u>est un sous-groupe de</u> B.

On introduit l'espace homogène B/A des <u>classes à gauche</u> de B suivant A ; c'est un G-ensemble, et $H^0(G, B/A)$ est défini. De plus, si $x \in H^0(G, B/A)$, l'image réciproque X de x dans B est un espace principal homogène (à droite) sur A ; sa classe dans $H^1(G, A)$ sera notée $\delta(x)$. Le cobord ainsi défini jouit de la propriété suivante :

PROPOSITION 36. <u>La suite d'ensembles pointés</u> :

$$1 \rightarrow H^0(G, A) \rightarrow H^0(G, B) \rightarrow H^0(G, B/A) \xrightarrow{\delta} H^1(G, A) \rightarrow H^1(G, B)$$

<u>est exacte</u>.

La plus simple consiste à traduire la définition de δ en termes de cocycles : si $c \in (B/A)^G$, on choisit $b \in B$ se projetant sur c, et on pose

$a_s = b^{-1}.{}^s b$; c'est un cocycle dont la classe est $\delta(c)$. Son expression même montre qu'il est cohomologue à 0 dans B, et que tout cocycle de A cohomologue à 0 dans B est de cette forme. D'où la proposition.

COROLLAIRE 1. _Le noyau de_ $H^1(G, A) \longrightarrow H^1(G, B)$ _s'identifie à l'espace quotient de_ $(B/A)^G$ _par l'action du groupe_ B^G .

L'identification se fait grâce à δ ; il faut voir que $\delta(c) = \delta(c')$ si et seulement si il existe $b \in B^G$ tel que $bc = c'$; c'est facile.

COROLLAIRE 2. _Soit_ $\alpha \in H^1(G, A)$, _et soit_ a _un cocycle représentant_ α . _Les éléments de_ $H^1(G, A)$ _ayant même image que_ α _dans_ $H^1(G, B)$ _correspondent bijectivement aux éléments du quotient de_ $H^o(G, {}_aB/{}_aA)$ _par l'action du groupe_ $H^o(G, {}_aB)$.

Cela résulte par "torsion" du corollaire 1, suivant ce qui a été expliqué plus haut.

COROLLAIRE 3. _Pour que_ $H^1(G, A)$ _soit dénombrable (resp. fini, resp. réduit à un élément), il faut et il suffit qu'il en soit de même de son image dans_ $H^1(G, B)$, _ainsi que de tous les quotients_ $({}_aB/{}_aA)^G/({}_aB)^G$, _pour_ $a \in Z^1(G, A)$.

Cela résulte du corollaire 2.

Il se trouve que l'on peut ici donner explicitement _l'image_ de $H^1(G, A)$ dans $H^1(G, B)$ [tout comme si $H^1(G, B/A)$ avait un sens !] :

PROPOSITION 37. _Soit_ $\beta \in H^1(G, B)$ _et soit_ $b \in Z^1(G, B)$ _un représentant de_ β . _Pour que_ β _appartienne à l'image de_ $H^1(G, A)$, _il faut et il suffit que l'espace_ ${}_b(B/A)$, _obtenu en tordant_ B/A _au moyen de_ b , _ait un point invariant par_ G .

[Combiné avec le corollaire 2 à la proposition 36, ceci montre que l'ensemble des éléments de $H^1(G, A)$ ayant pour image β est en correspondance bijective avec le quotient $H^0(G, {}_b(B/A))/H^0(G, {}_bB)$.]

Pour que β appartienne à l'image de $H^1(G, A)$, il faut et il suffit qu'il existe $b \in B$ tel que $b^{-1} b_s {}^s b$ appartienne à A pour tout $s \in G$. Si c désigne l'image de b dans B/A, ceci signifie que $c = b_s . {}^s c$, c'est-à-dire que $c \in H^0(G, {}_b(B/A))$, cqfd.

Remarque.

La proposition 37 est analogue au classique théorème d'Ehresmann : pour que le groupe structural d'un fibré principal puisse être réduit à un sous-groupe de celui-ci, il faut et il suffit que l'espace fibré en espaces homogènes associé ait une section.

5.5. Suite exacte de cohomologie associée à un sous-groupe distingué.

On suppose A distingué dans B, et l'on pose $C = B/A$; ici, C est un G-groupe.

PROPOSITION 38. La suite d'ensembles pointés :

$$0 \to A^G \to B^G \to C^G \to H^1(G, A) \to H^1(G, B) \to H^1(G, C)$$

est exacte.

La vérification est immédiate (cf. [CL], p.133).

Les fibres de l'application $H^1(G, A) \to H^1(G, B)$ ont été décrites au n° 5.4. Toutefois, le fait que A soit distingué dans B simplifie cette description. On note tout d'abord ceci :

Le groupe C^G opère de façon naturelle (à droite) sur $H^1(G, A)$. En effet, soit $c \in C^G$, et soit $X(c)$ son image réciproque dans B ; le G-ensemble $X(c)$ est muni, de façon naturelle, d'une structure d'espace (A,A)-principal ; si P est principal pour A, le composé $P \circ X(c)$ est encore principal pour

A, d'où l'opération cherchée. [Traduction en termes de cocycles : on relève c en $b \in B$; on a ${}^s b = b.x_s$, avec $x_s \in A$; à tout cocycle a_s de G dans A, on associe le cocycle $b^{-1} a_s b x_s = b^{-1} a_s {}^s b$; sa classe de cohomologie est la transformée de celle de (a_s) par c.]

PROPOSITION 39. (i) _Si_ $c \in C^G$, _on a_ $\delta(c) = 1.c$, _où_ 1 _représente l'élément neutre de_ $H^1(G, A)$.

(ii) _Deux éléments de_ $H^1(G, A)$ _ont même image dans_ $H^1(G, B)$ _si et seulement si ils sont transformés l'un de l'autre par un élément de_ C^G.

(iii) _Soit_ $a \in Z^1(G, A)$, _soit_ α _son image dans_ $H^1(G, A)$, _et soit_ $c \in C^G$. _Pour que_ $\alpha.c = \alpha$, _il faut et il suffit que_ c _appartienne à l'image de l'homomorphisme_ $H^0(G, {}_aB) \to H^0(G, C)$.

[On note ${}_aB$ le groupe obtenu en tordant B au moyen du cocycle a - étant entendu que A opère sur B par automorphismes intérieurs.]

L'équation $\delta(c) = 1.c$ résulte de la définition même de δ. D'autre part, si deux cocycles a_s et a'_s de A sont cohomologues dans B, il existe $b \in B$ tel que $a'_s = b^{-1} a_s {}^s b$; si c est l'image de b dans C, on en déduit ${}^s c = c$, d'où $c \in C^G$, et il est clair que c transforme la classe de a_s en celle de a'_s. La réciproque est triviale, ce qui démontre (ii). Enfin, si $b \in B$ relève c, et si $\alpha.c = \alpha$, il existe $x \in A$ tel que $a_s = x^{-1} b^{-1} a_s {}^s b {}^s x$, ce qui s'écrit aussi $bx = a_s {}^s(bx) a_s^{-1}$, i.e. $bx \in H^0(G, {}_aB)$. D'où (iii).

COROLLAIRE 1. _Le noyau de_ $H^1(G, B) \to H^1(G, C)$ _s'identifie au quotient de_ $H^1(G, A)$ _par l'action du groupe_ C^G.

C'est clair.

COROLLAIRE 2. _Soit_ $\beta \in H^1(G, B)$, _et soit_ b _un cocycle représentant_ β. _Les éléments de_ $H^1(G, B)$ _ayant même image que_ β _dans_ $H^1(G, C)$ _correspondent_

<u>bijectivement aux éléments du quotient de</u> $H^1(G, {}_bA)$ <u>par l'action du groupe</u> $H^0(G, {}_bC)$.

[Le groupe B opère sur lui-même par automorphismes intérieurs, et laisse stable A ; cela permet de <u>tordre</u> la suite exacte $1 \to A \to B \to C \to 1$ par le cocycle b.]

Résulte du corollaire 1 par torsion, comme on l'a expliqué au n° précédent.

<u>Remarque</u>.

La proposition 35 montre que $H^1(G, {}_bB)$ s'identifie à $H^1(G, B)$, et de même $H^1(G, {}_bC)$ s'identifie à $H^1(G, C)$. Par contre, $H^1(G, {}_bA)$ <u>n'a en général aucune relation avec</u> $H^1(G, A)$.

COROLLAIRE 3. <u>Pour que</u> $H^1(G, B)$ <u>soit dénombrable (resp. fini, resp. réduit à un élément), il faut et il suffit qu'il en soit de même de son image dans</u> $H^1(G, C)$, <u>ainsi que de tous les quotients</u> $H^1(G, {}_bA)/({}_bC)^G$, <u>pour</u> $b \in Z^1(G, B)$.

Cela résulte du corollaire 2.

<u>Exercice</u>.

Montrer que, si l'on associe à tout $c \in C^G$ la classe de l'espace (A,A)-principal X(c), on obtient un homomorphisme de C^G dans le groupe E(A) défini dans l'exercice du n° 5.3.

5.6. <u>Cas d'un sous-groupe abélien distingué</u>.

On suppose A abélien et distingué dans B. On conserve les notations du n° précédent. On note additivement $H^1(G, A)$, qui est maintenant un groupe abélien. Si $\alpha \in H^1(G, A)$, et $c \in C^G$, on note α^c le transformé de α par c, défini comme on l'a vu plus haut. On se propose d'expliciter cette opération.

Pour cela, on remarque que l'homomorphisme évident $C^G \to \mathrm{Aut}(A)$ fait opérer C^G (à gauche) sur le groupe $H^1(G, A)$; le transformé de α par c (pour cette nouvelle loi) sera noté $c.\alpha$.

PROPOSITION 40. <u>On a</u> :

$$\alpha^c = c^{-1}.\alpha + \delta(c) \quad \underline{\text{pour}} \quad \alpha \in H^1(G, A) \quad \underline{\text{et}} \quad c \in C^G .$$

C'est un simple calcul : si l'on relève c en $b \in B$, on a $^sb = b.x_s$, et la classe de x_s est $\delta(c)$. D'autre part, si a_s est un cocycle de la classe α , on peut prendre pour représentant de α^c le cocycle $b^{-1}a_s{}^sb$, et pour représentant de $c^{-1}.\alpha$ le cocycle $b^{-1}a_sb$. D'où la formule.

COROLLAIRE 1. <u>On a</u> $\delta(c'c) = \delta(c) + c^{-1}.\delta(c')$.

On écrit que $\alpha^{c'c} = (\alpha^{c'})^c$. En développant, cela donne la formule voulue.

COROLLAIRE 2. <u>Si</u> A <u>est dans le centre de</u> B , $\delta : C^G \to H^1(G, A)$ <u>est un homomorphisme, et</u> $\alpha^c = \alpha + \delta(c)$.

C'est clair.

On va maintenant se servir du groupe $H^2(G, A)$. <u>A priori</u>, on aurait envie de définir un cobord : $H^1(G, C) \to H^2(G, A)$. Sous cette forme, ce n'est possible que lorsque A est contenu dans le centre de B (cf. n°5.7). On a cependant un résultat partiel, qui est le suivant :

Soit $c \in Z^1(G, C)$ un cocycle de G à valeurs dans C. Puisque A est abélien, C <u>opère sur</u> A, et le groupe tordu $_cA$ est bien défini. On va associer à c une classe de cohomologie $\Delta(c) \in H^2(G, {}_cA)$. Pour cela, on relève c_s en une application continue $s \to b_s$ de G dans B , et l'on forme l'expression :

$$a_{s,t} = b_s\,{}^s b_t b_{st}^{-1} .$$

La 2-cochaîne ainsi obtenue est un <u>cocycle</u> à valeurs dans ${}_cA$. En effet, si l'on tient compte de la façon dont G opère sur ${}_cA$, on voit que cela revient à l'identité :

$$a_{s,t}^{-1}.b_s\,{}^s a_{t,u} b_s^{-1}.a_{s,tu}.a_{st,u}^{-1} = 1 ,$$

ou, en explicitant :

$$b_{st}\,{}^s b_t^{-1} b_s^{-1}.b_s\,{}^s b_t\,{}^{st} b_u\,{}^s b_{tu}^{-1} b_s^{-1}.b_s\,{}^s b_{tu} b_{stu}^{-1}.b_{stu}\,{}^{st} b_u^{-1} b_{st}^{-1} = 1 ,$$

ce qui est bien exact (tous les termes se détruisent).

D'autre part, si l'on remplace le relèvement b_s par le relèvement $a'_s b_s$, le cocycle $a_{s,t}$ est remplacé par le cocycle $a'_{s,t}.a_{s,t}$, avec

$$a'_{s,t} = (\delta a')_{s,t} = a'_s.b_s\,{}^s a'_t b_s^{-1}.a'^{-1}_{st} \quad ;$$

cela se vérifie par un calcul analogue au précédent (et plus simple). Ainsi, la classe du cocycle $a_{s,t}$ est bien déterminée ; on la note $\Delta(c)$.

PROPOSITION 41. <u>Pour que la classe de cohomologie de</u> c <u>appartienne à l'image de</u> $H^1(G, B)$ <u>dans</u> $H^1(G, C)$, <u>il faut et il suffit que</u> $\Delta(c)$ <u>soit nul</u>.

C'est évidemment nécessaire. Réciproquement, si $\Delta(c) = 0$, ce qui précède montre que l'on peut choisir b_s de telle sorte que $b_s\,{}^s b_t b_{st}^{-1} = 1$, et b_s est un cocycle dans B d'image égale à c. D'où la proposition.

COROLLAIRE. <u>Si</u> $H^2(G, {}_cA) = 0$ <u>pour tout</u> $c \in Z^1(G, C)$, <u>l'application</u> $H^1(G, B) \to H^1(G, C)$ <u>est surjective</u>.

<u>Exercices.</u>

1) Retrouver la proposition 40 en utilisant l'exercice du n°5.5 et le fait que E(A) est produit semi-direct de $H^1(G, A)$ par Aut(A).

2) Soient c et $c' \in Z^1(G, C)$ deux cocycles cohomologues. Comparer $\Delta(c)$ et $\Delta(c')$.

5.7. Cas d'un sous-groupe central.

On suppose maintenant que A est dans le centre de B. Si $a = (a_s)$ est un cocycle de G dans A, et $b = (b_s)$ un cocycle de G dans B, on vérifie aussitôt que $a.b = (a_s.b_s)$ est un cocycle dans B. De plus, la classe de $a.b$ ne dépend que des classes de a et de b. On en conclut que le groupe abélien $H^1(G, A)$ opère sur l'ensemble $H^1(G, B)$.

PROPOSITION 42. *Deux éléments de* $H^1(G, B)$ *ont même image dans* $H^1(G, C)$ *si et seulement si ils sont transformés l'un de l'autre par un élément de* $H^1(G, A)$.

La démonstration est immédiate.

Soit maintenant $c \in Z^1(G, C)$. Comme C opère trivialement sur A, le groupe tordu ${}_cA$ utilisé au n° 5.6 s'identifie canoniquement à A, et l'élément $\Delta(c)$ appartient à $H^2(G, A)$. Un calcul immédiat (cf. [CL], p.132) montre que $\Delta(c) = \Delta(c')$ si c et c' sont cohomologues. Ceci définit une application $\Delta : H^1(G, C) \longrightarrow H^2(G, A)$. En combinant les propositions 38 et 41, on obtient :

PROPOSITION 43. *La suite :*

$$1 \longrightarrow A^G \longrightarrow B^G \longrightarrow C^G \xrightarrow{\delta} H^1(G, A) \rightarrow H^1(G, B) \rightarrow H^1(G, C) \xrightarrow{\Delta} H^2(G, A)$$

est exacte.

Comme d'habitude, cette suite ne fournit de renseignements que sur le noyau de $H^1(G, C) \longrightarrow H^2(G, A)$, et pas sur la relation d'équivalence correspondante. Pour en obtenir, il nous faudra "tordre" les groupes considérés. Plus précisément, observons que C opère par automorphismes sur B et que ces automorphismes sont triviaux sur A. Si $c = (c_s)$ est un cocycle de G dans C, on peut donc tordre la suite exacte $1 \to A \to B \to C \to 1$ au moyen de c, et l'on obtient la nouvelle suite exacte

$$1 \to A \to {}_cB \to {}_cC \to 1 .$$

D'où un nouvel opérateur cobord $\Delta_c : H^1(G, {}_cC) \to H^2(G, A)$. Comme on a en outre une bijection canonique $\tau_c : H^1(G, {}_cC) \to H^1(G, C)$, on peut s'en servir pour comparer Δ et Δ_c. Le résultat est le suivant :

PROPOSITION 44. _On a_ $\Delta \circ \tau_c(\gamma') = \Delta_c(\gamma') + \Delta(\gamma)$, _où_ $\gamma \in H^1(G, C)$ _désigne la classe de_ c, _et où_ γ' _parcourt_ $H^1(G, {}_cC)$.

Soit c'_s un cocycle représentant γ'. On choisit comme ci-dessus une cochaîne b_s (resp. b'_s) dans B (resp. dans ${}_cB$) relevant c_s (resp. c'_s). On peut représenter $\Delta(\gamma)$ par le cocycle

$$a_{s,t} = b_s {}^s b_t b_{st}^{-1} ,$$

et $\Delta_c(\gamma')$ par le cocycle

$$a'_{s,t} = b'_s . b_s {}^s b'_t b_s^{-1} . b'^{-1}_{st} .$$

D'autre part $\tau_c(\gamma')$ peut être représenté par $c'_s c_s$, que l'on relève en $b'_s b_s$. On peut donc représenter $\Delta \circ \tau_c(\gamma')$ par le cocycle

$$a''_{s,t} = b'_s b_s . {}^s b'_t {}^s b_t . b_{st}^{-1} b'^{-1}_{st} .$$

On calcule le produit $a'_{s,t} . a_{s,t}$. Comme $a_{s,t}$ est dans le centre de B, on peut écrire :

$$a'_{s,t} . a_{s,t} = b'_s b_s {}^s b'_t b_s^{-1} a_{s,t} b'^{-1}_{st} .$$

En remplaçant $a_{s,t}$ par sa valeur et en simplifiant, on constate qu'on trouve $a''_{s,t}$, d'où la proposition.

COROLLAIRE. *Les éléments de* $H^1(G, C)$ *ayant même image que* γ *par* Δ *correspondent bijectivement aux éléments du quotient de* $H^1(G, {}_cB)$ *par l'action de* $H^1(G, A)$.

En effet, la bijection τ_c^{-1} transforme ces éléments en ceux du noyau de $\Delta_c : H^1(G, {}_cC) \longrightarrow H^2(G, A)$, et les propositions 42 et 43 montrent que ce noyau s'identifie au quotient de $H^1(G, {}_cB)$ par l'action de $H^1(G, A)$.

Remarques.

1) Ici encore, il n'est pas vrai en général que $H^1(G, {}_cB)$ soit en correspondance bijective avec $H^1(G, B)$.

2) On laisse au lecteur le soin de formuler les critères de dénombrabilité, finitude, etc., qui résultent du corollaire précédent.

5.8. *Compléments*.

On laisse au lecteur le soin de traiter les points suivants :

a) *Extensions de groupes*.

Soit H un sous-groupe fermé distingué de G, et soit A un G-groupe. Le groupe G/H opère sur A^H , ce qui fait que $H^1(G/H, A^H)$ est défini. D'autre part, si $a_h \in Z^1(H, A)$ et si $s \in G$, on peut définir le transformé $s(a)$ du cocycle $a = (a_h)$ par la formule :

$$s(a)_h = s(a_{s^{-1}hs}).$$

Par passage au quotient, le groupe G opère sur $H^1(H, A)$, et on vérifie que H opère trivialement. On peut donc dire que G/H *opère sur* $H^1(H, A)$, tout comme dans le cas abélien. On a une suite exacte :

$$1 \longrightarrow H^1(G/H, A^H) \longrightarrow H^1(G, A) \longrightarrow H^1(H, A)^{G/H} ,$$

et l'application $H^1(G/H, A^H) \rightarrow H^1(G, A)$ est injective.

b) Modules induits.

Soit H un sous-groupe fermé de G, et soit A un H-groupe. Soit $A^* = M_G^H(A)$ le groupe des applications continues $a^* : G \rightarrow A$ telles que $a^*({}^h x) = {}^h a^*(x)$ pour $h \in H$ et $x \in G$. On fait opérer G sur A^* par la formule $({}^g a^*)(x) = a^*(xg)$. On obtient ainsi un G-groupe A^* et l'on a des bijections canoniques

$$H^0(G, A^*) = H^0(H, A) \quad \text{et} \quad H^1(G, A^*) = H^1(H, A).$$

5.9. Une propriété des groupes de dimension cohomologique $\leqslant 1$.

Le résultat suivant aurait dû figurer au n° 3.4 :

PROPOSITION 45. *Soit* I *un ensemble de nombres premiers, et supposons que* $cd_p(G) \leqslant 1$ *pour tout* $p \in I$. *Le groupe* G *possède alors la propriété de relèvement pour les extensions* $1 \rightarrow P \rightarrow E \rightarrow W \rightarrow 1$, *où* E *est fini, et où l'ordre de* P *n'est divisible que par des nombres premiers* p *appartenant à* I.

On raisonne par récurrence sur l'ordre de P, le cas où $\mathrm{Card}(P) = 1$ étant trivial. Supposons donc $\mathrm{Card}(P) > 1$, et soit p un diviseur premier de $\mathrm{Card}(P)$. Par hypothèse, on a $p \in I$. Soit R un p-sous-groupe de Sylow. de P. Nous allons distinguer deux cas :

a) R est distingué dans P. C'est alors l'unique p-groupe de Sylow de P, et il est distingué dans E. On a les extensions :

$$1 \rightarrow R \rightarrow E \rightarrow E/R \rightarrow 1$$

$$1 \rightarrow P/R \rightarrow E/R \rightarrow W \rightarrow 1 .$$

Comme $\mathrm{Card}(P/R) < \mathrm{Card}(P)$, l'hypothèse de récurrence montre que l'homomorphisme $f : G \rightarrow W$ donné se relève en $g : G \rightarrow E/R$. D'autre part, puisque R est un p-groupe, la proposition 16 du n°3.4 montre que g se relève en $h : G \to E$. On a bien ainsi relevé f.

b) R n'est pas distingué dans P. Soit E' le normalisateur de R dans E, et soit P' le normalisateur de R dans P. On a $P' = E' \cap P$. D'autre part, l'image de E' dans W est égale à W tout entier. En effet, si $x \in E$, il est clair que xRx^{-1} est un p-groupe de Sylow de P, et la conjugaison des groupes de Sylow entraîne l'existence d'un $y \in P$ tel que $xRx^{-1} = yRy^{-1}$. On a alors $y^{-1}x \in E'$, ce qui montre que $E = P.E'$, d'où notre assertion. On déduit de là l'extension :

$$1 \to P' \to E' \to W \to 1 .$$

Comme $\mathrm{Card}(P') < \mathrm{Card}(P)$, l'hypothèse de récurrence montre que le morphisme $f : G \to W$ se relève en $h : G \to E'$, et comme E' est un sous-groupe de E, cela achève la démonstration.

COROLLAIRE. Toute extension de G par un groupe profini P dont l'ordre n'est divisible que par des nombres premiers appartenant à I est triviale.

Le cas où P est fini se déduit directement de la proposition précédente et du lemme 2 du n° 1.2. On passe de là au cas général par Zornification, comme au n° 3.4.

Remarque.

Le corollaire précédent redonne le fait qu'une extension d'un groupe fini A par un groupe fini B est triviale lorsque les ordres de A et de B sont premiers entre eux (cf. Zassenhaus, The theory of groups, Chap. IV, § 7).

PROPOSITION 46. Les hypothèses étant celles de la proposition 45, soit

$$1 \to A \to B \to C \to 1$$

<u>une suite exacte de</u> G-<u>groupes</u>. <u>Supposons que A soit fini, et que tout nombre premier divisant l'ordre de</u> A <u>appartienne à</u> I. <u>Alors l'application canonique</u> $H^1(G, B) \to H^1(G, C)$ <u>est surjective</u>.

Soit (c_s) un cocycle de G à valeurs dans C. Si π désigne l'homomorphisme $B \to C$, soit E l'ensemble des couples (b,s), avec $b \in B$, $s \in G$, tels que $\pi(b) = c_s$. On munit E de la loi de composition suivante :

$$(b,s).(b',s') = (b.{}^s b', ss').$$

Le fait que $c_{ss'} = c_s.{}^s c_{s'}$ montre que $\pi(b.{}^s b') = c_{ss'}$, ce qui rend licite la définition précédente. On vérifie tout de suite que E, muni de cette loi de composition et de la topologie induite par celle du produit $B \times G$, est un groupe compact. On a des morphismes évidents $A \to E$ et $E \to G$, qui font de E <u>une extension de</u> G <u>par</u> A. Vu le corollaire à la proposition 46, cette extension est triviale. Il existe donc une section continue $s \to e_s$ qui est un morphisme de G dans E. Si l'on écrit $e_s \in E$ sous le forme (b_s, s), le fait que $s \to e_s$ soit un morphisme se traduit par le fait que b_s est un <u>cocycle de</u> G <u>dans</u> B relevant le cocycle c_s donné. D'où la proposition.

COROLLAIRE. <u>Soit</u> $1 \to A \to B \to C \to 1$ <u>une suite exacte de</u> G-<u>groupes</u>. <u>Si</u> A <u>est fini, et si</u> $cd(G) \leqslant 1$, <u>l'application canonique</u>

$$H^1(G, B) \longrightarrow H^1(G, C)$$

<u>est surjective</u>.

C'est le cas particulier où I est l'ensemble de tous les nombres premiers.

<u>Exercices</u>.

1) Soit $1 \to A \to B \to C \to 1$ une suite exacte de G-groupes, avec

A abélien fini. Le procédé utilisé dans la démonstration de la proposition 46 attache à tout $c \in Z^1(G, C)$ une extension E_c de G par A. Montrer que l'action de G sur A déduite de cette extension est celle de ${}_cA$, et que l'image de E_c dans $H^2(G, {}_cA)$ est égale à l'élément $\Delta(c)$ défini au n° 5.6.

2) Soit A un G-groupe fini, d'ordre premier à l'ordre de G. Montrer que $H^1(G, A) = 0$. [Se ramener au cas fini, où le résultat est connu : c'est une conséquence du théorème de Feit-Thompson disant que les groupes d'ordre impair sont résolubles.]

Indications bibliographiques sur le Chapitre I

La presque totalité des résultats des §§ 1, 2, 3, 4 est due à Tate. Tate lui-même n'a rien publié ; toutefois, certains de ses résultats ont été rédigés par Lang, puis par Douady (séminaire BOURBAKI, exposé 189). D'autres (notamment les démonstrations reproduites au n°4.5) m'ont été communiqués directement.

Exceptions : le n° 3.5 (module dualisant), et le n° 4.4 (théorème de Šafarevič).

Le § 5 (cohomologie non abélienne) est tiré d'un article de Borel-Serre en préparation ; il est directement inspiré de la cohomologie non abélienne des faisceaux ; sous ce rapport, l'exposé fait par Grothendieck à Kansas est particulièrement utile.

ANNEXE

QUELQUES THÉORÈMES DE DUALITÉ

(traduction libre d'une lettre de TATE datée du 28/3/63)

... Tu es inutilement prudent en ce qui concerne le module dualisant : aucune hypothèse de finitude n'est nécessaire. De façon générale, soit R un anneau topologique dans lequel les idéaux bilatères ouverts forment un système fondamental de voisinages de 0. Si I est un tel idéal et si M est un R-module, soit $M_I = \mathrm{Hom}_R(R/I, M)$ le sous-module de M formé des éléments annulés par I. Soit $C(R)$ la catégorie des R-modules M qui sont réunion des M_I. Soit $T : C(R)^o \to (Ab)$ un foncteur additif contravariant transformant limites inductives en limites projectives. <u>Un tel foncteur</u> T <u>est exact à gauche si et seulement si il est représentable</u>. Lorsque R est discret, ce résultat est bien connu : l'application $M = \mathrm{Hom}_R(R, M) \to \mathrm{Hom}(T(M), T(R))$ définit un morphisme de foncteurs

$$a_M : T(M) \to \mathrm{Hom}_R(M, T(R))$$

qui est bijectif lorsque M est libre, donc aussi pour tout M si T est exact à gauche (utiliser une résolution libre de M). Dans le cas général, si I est un idéal bilatère ouvert de R, la catégorie $C(R/I)$ est une sous-catégorie pleine de $C(R)$, et le foncteur d'inclusion $C(R/I) \to C(R)$ est exact et commute à $\varinjlim$. Il s'ensuit que, si T est exact à gauche, il en est de même de sa restriction à $C(R/I)$, et, pour tout $M \in C(R/I)$, on a un isomorphisme fonctoriel

(*) $T(M) \to \mathrm{Hom}_R(M, T(R/I))$.

Si l'on applique ceci à $M = R/I_o$, où $I_o \supset I$, on voit que $T(R/I_o) = T(R/I)_{I_o}$. En posant $E = \lim\limits_{I \to 0} T(R/I)$, on en déduit $T(R/I_o) = E_{I_o}$; appliquant la formule (*) à I_o, on en tire

$$T(M) = \mathrm{Hom}_R(M, E) \qquad \text{pour tout } M \in C(R/I_o).$$

Enfin, si M est arbitraire, on a :

$$T(M) = \varprojlim T(M_{I_o}) = \varprojlim \mathrm{Hom}_R(M_{I_o}, E) = \mathrm{Hom}_R(M, E) .$$

Bien entendu, l'additivité de T suffit à définir le morphisme fonctoriel $a_M : T(M) \to \mathrm{Hom}_R(M, E)$, et le bon énoncé consiste à dire que les trois propriétés suivantes sont équivalentes :

(i) T exact à gauche, $T \circ \varinjlim = \varinjlim \circ T$

(ii) T semi-exact, $(T \circ \varinjlim) \to (\varprojlim \circ T)$ surjectif, et a_M est injectif pour tout M

(iii) a_M est bijectif pour tout M.

xxx

Soit maintenant G un groupe profini. Si $A \in C_G$ et si S est un sous-groupe fermé de G, on posera :

$$D_r(S, A) = \varinjlim_{V \supset S} H^r(V, A)^* ,$$

la limite étant prise sur les sous-groupes ouverts V de G

contenant S, et par rapport aux transposés Cor^* des homomorphismes de corestriction. [On rappelle que, si B est un groupe abélien, on note B^* le groupe $\mathrm{Hom}(B, \underline{\underline{Q}}/\underline{\underline{Z}})$.] Les $D_r(S, A)$ forment un foncteur homologique contravariant : à toute suite exacte $0 \to A' \to A \to A'' \to 0$ correspond une suite exacte:

$$\dots \to D_r(S, A) \to D_r(S, A') \to D_{r-1}(S, A'') \to D_{r-1}(S, A) \to \dots$$

On pose $D_r(A) = D_r(\{1\}, A)$; du fait que G/U opère sur $H^r(U, A)$, on a $D_r(A) \in C_G$.

En particulier, posons :

$$E_r = D_r(\underline{\underline{Z}}) = \varinjlim . H^r(G, \underline{\underline{Z}}[G/U])^*$$

$$E'_r = \varinjlim_{m} . D_r(\underline{\underline{Z}}/m\underline{\underline{Z}}) = \varinjlim_{U,m} . H^r(G, (\underline{\underline{Z}}/m\underline{\underline{Z}})[G/U])^* .$$

On peut appliquer ce qu'on a dit au début aux anneaux topologiques

$$R = \underline{\underline{Z}}[G] = \varprojlim . \underline{\underline{Z}}[G/U] \qquad \text{et} \qquad R' = \hat{\underline{\underline{Z}}}[G] = \varprojlim . (\underline{\underline{Z}}/m\underline{\underline{Z}})[G/U] .$$

On a $C(R) = C_G$, $C(R') = C_G^t$. D'où (en prenant pour T le foncteur $H^r(G, \ )^*$) des morphismes fonctoriels

$$a_M : H^r(G, M)^* \to \mathrm{Hom}_G(M, E_r) \quad \text{pour } M \in C_G$$

$$a'_M : H^r(G, M)^* \to \mathrm{Hom}_G(M, E'_r) \quad \text{pour } M \in C_G^t .$$

Comme T transforme $\varinjlim$ en $\varprojlim$, on en deduit l'équivalence des trois conditions suivantes :

a_M est bijectif pour tout $M \in C_G$,

a_M est injectif pour tout $M \in C_G$,

$\mathrm{scd}(G) \leqslant r$.

Même chose en remplaçant a_M par a'_M , C_G par C_G^t , $\mathrm{scd}(G)$ par $\mathrm{cd}(G)$.

Supposons maintenant $cd(G) \leqslant r$. On a alors:

$$E_{r+1} = D_{r+1}(\underline{\underline{Z}}) = D_r(\underline{\underline{Q}}/\underline{\underline{Z}}) = \varinjlim H^r(U, \underline{\underline{Q}}/\underline{\underline{Z}})^*$$
$$= \varinjlim \mathrm{Hom}_U(\underline{\underline{Q}}/\underline{\underline{Z}}, E'_r) = \bigcup \mathrm{Hom}(\underline{\underline{Q}}/\underline{\underline{Z}}, E'_r)^U .$$

On retrouve ainsi ton critère :

$$scd_p(G) = r+1 \iff (E'_r)^U \text{ contient un sous-groupe isomorphe à } \underline{\underline{Q}}_p/\underline{\underline{Z}}_p .$$

Exemple: $G = \hat{\underline{\underline{Z}}}$, $E'_1 = \underline{\underline{Q}}/\underline{\underline{Z}}$, d'où $E_2 = \mathrm{Hom}(\underline{\underline{Q}}/\underline{\underline{Z}}, \underline{\underline{Q}}/\underline{\underline{Z}}) = \hat{\underline{\underline{Z}}}$. On en conclut que, pour tout $M \in C_G$, on a :

$$H^2(G, M)^* = \mathrm{Hom}_G(M, \hat{\underline{\underline{Z}}}).$$

Si $cd(G) = scd(G) = r$, alors bien sûr E'_r est le sous-module de torsion de E_r. Exemple: si $G = G(\overline{\underline{\underline{Q}}}_p/\underline{\underline{Q}}_p)$, la théorie du corps de classes local montre que $E_2 = \varinjlim \hat{K}^*$, où $\hat{K}^*$ désigne la compactification naturelle du groupe multiplicatif K^* , le corps K parcourant l'ensemble des extensions finies de $\underline{\underline{Q}}_p$; le groupe $\mu = E'_2$ est bien le sous-groupe de torsion de E_2.

***

Passons à un <u>théorème de dualité</u>. Le mieux que je puisse faire est le drôle de fourbi suivant:

DÉFINITION. <u>Si</u> $A \in C_G$, <u>on dit que</u> $cd(G, A) \leqslant n$ <u>si</u> $H^r(S, A) = 0$ <u>pour tout</u> $r > n$ <u>et tout sous-groupe fermé</u> S <u>de</u> G.

LEMME 1. <u>Soit</u> $A \in C_G$. <u>Les trois propriétés suivantes sont équivalentes</u> :

(i) $cd(G, A) = 0$.

(ii) <u>Pour tout sous-groupe ouvert distingué</u> U <u>de</u> G, <u>le</u> G/U-<u>module</u>

A^U <u>est cohomologiquement trivial</u>.

(iii) <u>Pour tout couple</u> U, V , <u>avec</u> $V \supset U$, <u>formé de sous-groupes ouverts distingués de</u> G, <u>l'homomorphisme</u>

$$N : H_o(V/U, A^U) \to H^o(V/U, A^U)$$

<u>défini par la trace est bijectif</u>.

L'équivalence de (ii) et (iii) resulte du th.8, p.152, de [CL], appliqué à $q = -1, 0$. D'autre part, si (i) est vérifié, la suite spectrale $H^p(V/U, H^q(U, A)) \Longrightarrow H^{\cdot}(V, A)$ dégénère; comme sa limite est triviale, on en conclut que $H^p(V/U, A^U) = 0$ pour $p \neq 0$, d'où (ii). Inversement, si (ii) est vérifié, on a :

$$H^p(V, A) = \varinjlim H^p(V/U, A^U) = 0 \quad \text{pour } p \neq 0,$$

d'où $H^p(S, A) = \varinjlim_{V \supset S} H^p(V, A) = 0$ pour tout sous-groupe fermé S de G, ce qui démontre (i).

Soit maintenant $A \in C_G$, et soit

$$0 \to A \to X^o \to X^1 \to \dots$$

une résolution canonique de A , par exemple celle donnée par les cochaînes homogènes continues (non nécessairement "équivariantes"). Soit Z^n le groupe des cocycles de X^n. On a la suite exacte :

$$(1) \quad 0 \to A \to X^o \to X^1 \to \dots \to X^{n-1} \to Z^n \to 0.$$

LEMME 2. $cd(G, A) \leqslant n \iff cd(G, Z^n) = 0$.

En effet, pour tout $r \neq 0$, on a :

$$H^r(S, Z^n) = H^{r+1}(S, Z^{n-1}) = \dots = H^{r+n}(S, A).$$

THÉORÈME 1. <u>Si</u> $cd(G, A) \leqslant n$, <u>on a une suite spectrale de type homologique</u> :

$$(2) \quad E^2_{pq} = H_p(G/U, H^{n-q}(U, A)) \Longrightarrow H_{p+q} = H^{n-(p+q)}(G, A) ,$$

<u>associée à tout sous-groupe ouvert distingué</u> U <u>de</u> G.

De plus cette suite spectrale est fonctorielle en U : si $V \subset U$, l'homomorphisme $H_p(G/V, H^{n-q}(V, A)) \to H_p(G/U, H^{n-q}(U, A))$ à considérer est celui qui provient de $G/V \to G/U$ et de l'homomorphisme Cor : $H^{n-q}(V, A) \to H^{n-q}(U, A)$.

COROLLAIRE. Si $cd(G, A) \leqslant n$, pour tout sous-groupe fermé distingué N de G il existe une suite spectrale de type cohomologique :

$$(3) \qquad E_2^{pq} = H^p(G/N, D_{n-q}(N, A)) \Longrightarrow H^{n-(p+q)}(G, A)^* .$$

En particulier, pour $N = \{1\}$:

$$(4) \qquad H^p(G, D_{n-q}(A)) \Longrightarrow H^{n-(p+q)}(G, A)^* .$$

Le corollaire se déduit du théorème 1 en appliquant le foncteur dualité *, en utilisant la dualité pour la cohomologie des groupes finis [i.e. la formule $H_p(G/U, B)^* = H^p(G/U, B^*)$, cf. [M], p.249-250], et en prenant la limite inductive pour les U contenant N.

Le théorème 1 lui-même n'est pas difficile à démontrer. On considère le complexe :

$$(5) \qquad 0 \to (X^o)^U \to (X^1)^U \to \dots \to (X^{n-1})^U \to (Z^n)^U \to 0$$

déduit de (1). On le récrit sous forme homologique :

$$(6) \qquad 0 \to Y_n \to Y_{n-1} \to \dots \to Y_1 \to Y_o \to 0.$$

On a donc $H_q(Y_.) = H^{n-q}(U, A)$ pour tout q.
Appliquons maintenant à $Y_.$ le foncteur "chaînes par rapport à G/U". On obtient un complexe double $C_{..}$ de type homologique :

$$C_{p,q} = C_p(G/U, Y_q).$$

Passant à l'homologie "dans la direction de q" , on trouve $C_p(G/U, H^{n-q}(U, A))$ puisque C_p est un foncteur exact. Prenant ensuite l'homologie dans la direction de p, on obtient le terme

$E^2_{pq} = H_p(G/U, H^{n-q}(U, A))$ cherche. D'autre part, si l'on prend d'abord l'homologie par rapport à p, on trouve $H_p(G/U, Y_q)$. Ces groupes sont nuls pour $p \neq 0$ à cause des lemmes 1 et 2; les mêmes lemmes montrent que, pour $p = 0$, on a :

$$H_o(G/U, Y_q) = H^o(G/U, Y_q) = Y_q^{G/U} = ((X^{n-q})^U)^{G/U} = (X^{n-q})^G$$

On obtient ainsi un complexe dont la (co)homologie est $H^{n-q}(G, A)$, comme on le désirait. D'où le théorème.

Applications:

THÉORÈME 2. _Soit_ G _un groupe profini et soit_ n _un entier_ $\geqslant 0$. _Les conditions suivantes sont équivalentes_:

(i) $scd(G) = n$, $E_n = D_n(\underline{\underline{Z}})$ _est divisible, et_ $D_q(\underline{\underline{Z}}) = 0$ _pour_ $q < n$.

(ii) $scd(G) = n$, $D_q(A) = 0$ _pour_ $q < n$ _lorsque_ $A \in C_G$ _est de type fini sur_ $\underline{\underline{Z}}$.

(iii) $H^r(G, Hom(A, E_n)) = H^{n-r}(G, A)^*$ _pour tout_ r, _et pour tout_ $A \in C_G$ _de type fini sur_ $\underline{\underline{Z}}$.

De même:

THÉORÈME 3. _Les conditions suivantes sont équivalentes_:

(i) $cd(G) = n$, $D_q(\underline{\underline{Z}}/p\underline{\underline{Z}}) = 0$ _pour_ $q < n$ _et tout nombre premier_ p.

(ii) $cd(G) = n$, $D_q(A) = 0$ _pour_ $q < n$ _et tout_ $A \in C_G^f$.

(iii) $H^r(G, Hom(A, E_n')) = H^{n-r}(G, A)^*$ _pour tout_ r _et_ $A \in C_G^f$.

Note que $D_1(\underline{\underline{Z}})$ est toujours nul et que $D_o(\underline{\underline{Z}}) = 0$ si l'ordre de G est divisible par p^∞ pour tout p. Ainsi, si $scd(G) = 2$, le groupe G vérifie les conditions du théorème 2 (pour $n = 2$) si et seulement si E_2 est divisible. C'est le cas pour $G(\overline{\underline{\underline{Q}}}_p/\underline{\underline{Q}}_p)$ par exemple. Ce n'est _pas_ le cas pour $G(\overline{k}/k)$, où k est un corps de nombres totalement imaginaire. Too bad ...

Voici une application du theorème 3 :

Si G est un pro-p-groupe analytique tel que $cd_p(G) < \infty$, le théorème de dualite (iii) s'applique [i.e. G est un <u>groupe de Poincaré</u> dans la terminologie du n°4.5] . En effet, on sait d'après Lazard que G contient un sous-groupe ouvert U qui est un groupe de Poincaré; comme les D_q sont les mêmes pour U et pour G, on en conclut que $D_q(\mathbb{Z}/p\mathbb{Z}) = 0$ pour $q < n$ et on applique (i) $\Longrightarrow$ (iii) [Cet argument démontre en fait ceci : si G est un pro-p-groupe de dimension cohomologique finie contenant un sous-groupe ouvert qui est un groupe de Poincaré, alors G est lui-même un groupe de Poincaré.]

Chapitre II

COHOMOLOGIE GALOISIENNE - CAS COMMUTATIF

§ 1. Généralités

1.1. Cohomologie galoisienne.

Soit k un corps, et soit K une extension galoisienne de k. Le groupe de Galois $G(K/k)$ de l'extension K/k est un groupe profini (cf. Chap. I, n° 1.1), et on peut lui appliquer les méthodes et les résultats du Chapitre I ; en particulier, si $G(K/k)$ opère sur un groupe discret $A(K)$, les $H^q(G(K/k), A(K))$ sont bien définis (si $A(K)$ n'est pas commutatif, on se limite à $q = 0, 1$).

En fait, on travaille rarement avec une extension K/k fixe. La situation est la suivante :

On dispose d'un corps de base k, et d'un foncteur $K \rightsquigarrow A(K)$ défini sur la catégorie des extensions algébriques séparables de k, à valeurs dans la catégorie des groupes (resp. des groupes abéliens), ce foncteur vérifiant les axiomes suivants :

(1) $A(K) = \varinjlim A(K_i)$, pour K_i parcourant l'ensemble des sous-extensions de K de type fini sur k.

(2) Si $K \rightarrow K'$ est une injection, le morphisme $A(K) \rightarrow A(K')$ correspondant est une injection.

(3) Si K'/K est une extension galoisienne, $A(K)$ s'identifie à $H^0(G(K'/K), A(K'))$.

[Cela a un sens, car le groupe $G(K'/K)$ opère - par fonctorialité -

sur $A(K')$. De plus, l'axiome (1) entraîne que cette action est continue.]

Remarques.

1) Si k_s désigne une clôture séparable de k, le groupe $A(k_s)$ est bien défini, et c'est un $G(k_s/k)$-groupe. Sa connaissance équivaut (à un isomorphisme de foncteurs près) à celle du foncteur A.

2) Il arrive souvent que le foncteur A puisse être défini pour toutes les extensions de k (non nécessairement algébriques, ni séparables), et cela de façon à vérifier (1), (2), (3). L'exemple le plus important est fourni par les "schémas en groupes" : si A est un schéma en groupes sur k, localement de type fini sur k, les points de A à valeurs dans une extension K/k forment un groupe $A(K)$ dépendant fonctoriellement de K, et ce foncteur vérifie les axiomes (1), (2), (3) [l'axiome (1) résulte de ce que A est localement de type fini]. Ceci s'applique notamment aux "groupes algébriques", c'est-à-dire aux schémas en groupes de type fini sur k.

Soit A un foncteur vérifiant les axiomes ci-dessus. Si K'/K est une extension galoisienne, les $H^q(G(K'/K), A(K'))$ sont définis (si A n'est pas commutatif, on se limite à $q = 0, 1$). On les note $H^q(K'/K, A)$.

Soient K_1'/K_1 et K_2'/K_2 deux extensions galoisiennes, de groupes de Galois G_1 et G_2. On suppose donnée une injection $K_1 \xrightarrow{i} K_2$. Supposons qu'il existe une injection $K_1' \xrightarrow{j} K_2'$ prolongeant l'inclusion i. On définit au moyen de j un homomorphisme $G_2 \to G_1$ et un morphisme $A(K_1') \to A(K_2')$; ces deux applications sont compatibles, et définissent des applications $H^q(G_1, A(K_1')) \to H^q(G_2, A(K_2'))$; ces applications ne dépendent pas du choix de j (cf. [CL], p.164). On a donc des applications

$$H^q(K_1'/K_1, A) \to H^q(K_2'/K_2, A)$$

ne dépendant que de i (et de l'existence de j).

En particulier, on voit que deux clôtures séparables de k définissent des $H^q(k_s/k, A)$ en correspondance bijective canonique. Cela permet de laisser tomber le symbole k_s et d'écrire simplement $H^q(k, A)$. Les $H^q(k, A)$ dépendent fonctoriellement de k.

1.2. Premiers exemples.

Soit $\underline{\underline{G}}_a$ (resp. $\underline{\underline{G}}_m$) le groupe additif (resp. multiplicatif), défini par la relation $\underline{\underline{G}}_a(K) = K_+$ (resp. $\underline{\underline{G}}_m(K) = K^*$). On a (cf. [CL], p. 158) :

PROPOSITION 1. Pour toute extension galoisienne K/k, on a $H^1(K/k, \underline{\underline{G}}_m) = 0$ et $H^q(K/k, \underline{\underline{G}}_a) = 0$ $(q \geqslant 1)$.

En fait, lorsque K/k est finie, les groupes de cohomologie modifiés $\hat{H}^q(K/k, \underline{\underline{G}}_a)$ sont nuls pour tout $q \in \underline{\underline{Z}}$.

Remarque.

Les groupes $H^q(K/k, \underline{\underline{G}}_m)$ ne sont en général pas nuls pour $q \geqslant 2$. On rappelle que le groupe $H^2(K/k, \underline{\underline{G}}_m)$ s'identifie à la partie du groupe de Brauer $Br(k)$ décomposée par K ; en particulier, $H^2(k, \underline{\underline{G}}_m) = Br(k)$, cf. [CL], Chap. X.

§ 2. Critères de dimension cohomologique

Dans les paragraphes suivants, on notera G_k le groupe de Galois de k_s/k, où k_s est une clôture séparable de k. Ce groupe est déterminé à isomorphisme (non unique) près.

Si p est un nombre premier, on notera $G_k(p)$ le plus grand quotient de G_k qui soit un pro-p-groupe ; le groupe $G_k(p)$ est le groupe de Galois de l'extension $k_s(p)/k$; cette extension est appelée la p-extension maximale de k. On se propose de donner des critères permettant de calculer la dimension cohomologique de G_k et des $G_k(p)$, cf. Chap. I, § 3.

2.1. <u>Un résultat auxiliaire</u>.

PROPOSITION 2. *Soit* G *un groupe profini, et soit* $G(p) = G/N$ *le plus grand quotient de* G *qui soit un pro-p-groupe. Supposons que* $cd_p(N) \leq 1$. *Les applications canoniques*

$$H^q(G(p), \underline{\underline{Z}}/p\underline{\underline{Z}}) \longrightarrow H^q(G, \underline{\underline{Z}}/p\underline{\underline{Z}})$$

sont alors des isomorphismes. En particulier, $cd(G(p)) \leq cd_p(G)$.

Soit N/M le plus grand quotient de N qui soit un pro-p-groupe. Il est clair que M est distingué dans G, et que G/M est un pro-p-groupe. Vu la définition de $G(p)$, ceci entraîne $M = N$. Ainsi, tout morphisme de N dans un p-groupe est trivial. En particulier, on a $H^1(N, \underline{\underline{Z}}/p\underline{\underline{Z}}) = 0$. D'autre part, puisque $cd_p(N) \leq 1$, on a $H^i(N, \underline{\underline{Z}}/p\underline{\underline{Z}}) = 0$ pour $i \geq 2$. Il résulte alors de la suite spectrale des extensions de groupes que l'homomorphisme

$$H^q(G/N, \underline{\underline{Z}}/p\underline{\underline{Z}}) \longrightarrow H^q(G, \underline{\underline{Z}}/p\underline{\underline{Z}})$$

est un isomorphisme pour tout $q \geq 0$. L'inégalité $cd(G/N) \leq cd_p(G)$ en résulte, grâce à la proposition 21 du Chapitre I.

<u>Exercice</u>.

Les hypothèses étant celles de la proposition 2, soit A un $G(p)$-module de torsion p-primaire. Montrer que l'application canonique de $H^q(G(p), A)$ dans $H^q(G, A)$ est un isomorphisme pour tout $q \geq 0$.

2.2. <u>Cas où</u> p <u>est égal à la caractéristique</u>.

PROPOSITION 3. *Si* k *est un corps de caractéristique* p, *on a* $cd_p(G_k) \leq 1$ *et* $cd(G_k(p)) \leq 1$.

Posons $x^p - x = f(x)$. L'application f est additive, et donne lieu à la suite exacte :

$$0 \to \underline{\underline{Z}}/p\underline{\underline{Z}} \to \underline{\underline{G}}_a \xrightarrow{f} \underline{\underline{G}}_a \to 0 .$$

En effet, cela signifie (par définition !) que la suite de groupes abéliens

$$0 \to \underline{\underline{Z}}/p\underline{\underline{Z}} \to k_s \xrightarrow{f} k_s \to 0$$

est exacte, ce qui est facile à voir. Par passage à la cohomologie, on en déduit la suite exacte :

$$H^1(k, \underline{\underline{G}}_a) \to H^2(k, \underline{\underline{Z}}/p\underline{\underline{Z}}) \to H^2(k, \underline{\underline{G}}_a) .$$

Vu la proposition 1, on en déduit que $H^2(k, \underline{\underline{Z}}/p\underline{\underline{Z}}) = 0$, i.e. $H^2(G, \underline{\underline{Z}}/p\underline{\underline{Z}}) = 0$. Ce résultat s'applique aussi aux sous-groupes fermés de G_k (puisque ce sont des groupes de Galois), et en particulier à ses p-groupes de Sylow. Si H désigne l'un d'eux, on a donc $cd(H) \leq 1$ (cf. Chap. I, prop. 21), d'où $cd_p(G_k) \leq 1$ (Chap. I, cor 1 à la prop. 14). Si N est le noyau de $G_k \to G_k(p)$, ce qui précède s'applique aussi à N et montre que $cd_p(N) \leq 1$. La proposition 2 permet d'en déduire que $cd(G_k(p)) \leq cd_p(G_k) \leq 1$, cqfd.

COROLLAIRE 1. _Le groupe_ $G_k(p)$ _est un pro-p-groupe libre._

Cela résulte du Chapitre I, corollaire 2 à la proposition 24.

[Comme $H^1(G_k(p))$ s'identifie à $k/f(k)$, on peut même calculer le _rang_ de $G_k(p)$.]

COROLLAIRE 2 (Albert-Hochschild). _Si_ k' _est une extension radicielle de_ k, _l'application canonique_ $Br(k) \to Br(k')$ _est surjective._

Soit k'_s une clôture séparable de k' contenant k_s. Du fait que k'/k est radiciel, on peut identifier G_k au groupe de Galois de k'_s/k'. On a :

$$Br(k) = H^2(G_k, k_s^*) , \quad Br(k') = H^2(G_k, k'^*_s) .$$

De plus, pour tout $x \in k'_s$, il existe une puissance q de p telle que $x^q \in k_s$; en d'autres termes, le groupe k'^*_s/k^*_s est un groupe de torsion p-primaire. Puisque $cd_p(G_k) \leqslant 1$, on a donc $H^2(G_k, k'^*_s/k^*_s) = 0$, et la suite exacte de cohomologie montre que $H^2(G_k, k^*_s) \to H^2(G_k, k'^*_s)$ est surjectif, cqfd.

Remarque.

Lorsque k' est une extension radicielle de hauteur 1 de k, le noyau de $Br(k) \to Br(k')$ peut se calculer à l'aide de la cohomologie de la p-algèbre de Lie des dérivations de k'/k, cf. Hochschild, Trans. Amer. Math. Soc., 79, 1955.

2.3. Cas où p est différent de la caractéristique.

PROPOSITION 4. *Soit k un corps de caractéristique $\neq p$, et soit n un entier $\geqslant 1$. Les conditions suivantes sont équivalentes :*

(i) $cd_p(G_k) \leqslant n$,

(ii) *Pour toute extension algébrique K de k, on a $H^{n+1}(K, \underline{\underline{G}}_m)(p) = 0$ et le groupe $H^n(K, \underline{\underline{G}}_m)$ est p-divisible.*

(iii) *Même énoncé que dans (ii), à cela près qu'on se limite aux extensions K/k qui sont séparables, finies, et de degré premier à p.*

[On rappelle que, si A est un groupe abélien de torsion, $A(p)$ désigne la composante p-primaire de A.]

On désignera par μ_p le groupe des racines p-ièmes de l'unité ; il est contenu dans k_s. On a la suite exacte :

$$0 \to \mu_p \to \underline{\underline{G}}_m \xrightarrow{p} \underline{\underline{G}}_m \to 0,$$

le symbole " p " désignant l'élévation à la puissance p-ième dans le groupe $\underline{\underline{G}}_m$. On observera que μ_p est isomorphe à $\underline{\underline{Z}}/p\underline{\underline{Z}}$ (comme groupe abélien - en général, G_k opère non trivialement sur μ_p). La suite exacte de cohomologie montre que la condition (ii) équivaut à dire que $H^{n+1}(K, \mu_p) = 0$ pour tout K; traduction analogue pour (iii).

Ceci étant, supposons que $cd_p(G_k) \leq n$. Comme G_K est isomorphe à un sous-groupe fermé de G_k, on a aussi $cd_p(G_K) \leq n$, d'où $H^{n+1}(K, \mu_p) = 0$. Ainsi (i) $\Rightarrow$ (ii). L'implication (ii) $\Rightarrow$ (iii) est triviale. Supposons maintenant (iii) vérifié. Soit H un p-groupe de Sylow de G_k, et soit K/k l'extension correspondante. On a :

$$K = \varinjlim K_i ,$$

où les K_i sont des extensions finies séparables de k, de degré premier à p. Vu (iii), on a $H^{n+1}(K_i, \mu_p) = 0$ pour tout i, d'où $H^{n+1}(K, \mu_p) = 0$, i.e. $H^{n+1}(K, \mu_p) = 0$. Mais H est un pro-p-groupe, donc ne peut opérer que trivialement sur $\mathbb{Z}/p\mathbb{Z}$; on peut donc identifier μ_p et $\mathbb{Z}/p\mathbb{Z}$, et la proposition 21 du Chapitre I montre que $cd(H) \leq n$, d'où la condition (i), cqfd.

§ 3. Corps de dimension ≤ 1.

3.1. Définition.

PROPOSITION 5. Soit k un corps. Les propriétés suivantes sont équivalentes :

(i) On a $cd(G_k) \leq 1$. Si k est de caractéristique $p \neq 0$, on a en outre $Br(K)(p) = 0$, pour toute extension algébrique K/k.

(ii) On a $Br(K) = 0$ pour toute extension algébrique K/k.

(iii) Si L/K est une extension galoisienne finie, avec K algébrique sur k, le G(L/K)-module L* est cohomologiquement trivial.

(iv) Sous les hypothèses de (iii), la norme $N_{L/K} : L^* \to K^*$ est surjective.

(i) bis, (ii) bis, (iii) bis, (iv) bis : *mêmes énoncés que* (i),..., (iv) *à cela près qu'on se borne aux extensions* K/k *qui sont finies et séparables sur* k.

Les équivalences (i) $\Leftrightarrow$ (i) bis, (ii) $\Leftrightarrow$ (ii) bis résultent du théorème de Albert-Hochschild démontré au n° 2.2. L'équivalence (i) $\Leftrightarrow$ (ii) résulte des propositions 3 et 4. Les équivalences

$$\text{(ii) bis} \Leftrightarrow \text{(iii) bis} \Leftrightarrow \text{(iv) bis}$$

sont démontrées dans [CL], p.169. D'autre part, si k vérifie (ii), toute extension algébrique K/k vérifie aussi (ii), donc aussi (ii) bis et (iii) bis, ce qui signifie que k vérifie (iii). Comme (iii) $\Rightarrow$ (iii) bis trivialement, on voit que (ii) $\Leftrightarrow$ (iii), et le même argument montre que (ii) $\Leftrightarrow$ (iv), cqfd.

Remarque.

J'ignore si la condition $Br(k) = 0$ suffit à entraîner les propriétés (i) à (iv).

.r S-2

DÉFINITION. *Un corps* k *est dit de dimension* $\leqslant 1$ *s'il vérifie les conditions équivalentes de la proposition* 5.

On écrit alors $\dim(k) \leqslant 1$.

PROPOSITION 6. (a) *Toute extension algébrique d'un corps de dimension* $\leqslant 1$ *est aussi de dimension* $\leqslant 1$.

(b) *Soit* k *un corps parfait. Pour que* $\dim(k) \leqslant 1$, *il faut et il suffit que* $cd(G_k) \leqslant 1$.

L'assertion (a) est triviale. Pour (b), on remarque que, si k est parfait, l'application $x \to x^p$ est une bijection de k_s^* sur lui-même ; il s'ensuit que la p-composante des $H^q(k, \underline{\underline{G}}_m)$ est nulle, et en particulier

$Br(k)(p)$. Comme ceci s'applique à toute extension algébrique K/k, on voit que la condition (i) de la proposition 5 se réduit à $cd(G_k) \leq 1$, cqfd.

PROPOSITION 7. <u>Soit</u> k <u>un corps de dimension</u> ≤ 1, <u>et soit</u> p <u>un nombre premier</u>. <u>On a alors</u> $cd(G_k(p)) \leq 1$.

On écrit $G_k(p) = G_k/N$. Comme $cd(G_k) \leq 1$, on a $cd(N) \leq 1$, et la proposition 2 montre que $cd(G_k/N) \leq cd_p(G_k)$, d'où ... etc.

3.2. <u>Relation avec la propriété</u> (C_1).

C'est la propriété suivante :

(C_1). <u>Toute équation</u> $f(x_1,\ldots, x_n) = 0$, <u>où</u> f <u>est un polynôme homogène de degré</u> $d < n$, <u>à coefficients dans</u> k, <u>a une solution non triviale dans</u> k^n.

On verra des exemples de tels corps au n°3.3.

PROPOSITION 8. <u>Soit</u> k <u>un corps vérifiant</u> (C_1).

(a) <u>Toute extension algébrique</u> k' <u>de</u> k <u>vérifie</u> (C_1).

(b) <u>Si</u> L/K <u>est une extension finie, avec</u> K <u>algébrique sur</u> k, <u>on a</u> $N_{L/K}(L^*) = K^*$.

Pour prouver (a), on peut supposer k' fini sur k. Soit $F(x)$ un polynôme homogène, de degré d, en n variables, et à coefficients dans k'. Posons $f(x) = N_{k'/k}F(x)$; en choisissant une base $e_1,\ldots, e_m$ de k'/k, et en exprimant les x au moyen de cette base, on voit que f s'identifie à un polynôme homogène, de degré dm, en nm variables, et à coefficients dans k. Si $d < n$, on a $dm < nm$, et ce polynôme a un zéro x. Cela signifie que $N_{k'/k}F(x) = 0$, d'où $F(x) = 0$.

Plaçons-nous maintenant dans les hypothèses de (b), et soit $a \in K^*$. Si $d = [L : K]$, considérons l'équation

$$N(x) = a.x_o^d \text{ , avec } x \in L, \ x_o \in K.$$

C'est une équation homogène de degré d, à $d+1$ inconnues. Comme, d'après (a), le corps K vérifie (C_1), cette équation a une solution non triviale (x, x_0). Si x_0 était nul, on aurait $N(x) = 0$ d'où $x = 0$, contrairement à l'hypothèse. Donc $x_0 \neq 0$, et $N(x/x_0) = a$, ce qui démontre la surjectivité de la norme.

COROLLAIRE. <u>Si</u> k <u>vérifie</u> (C_1), <u>on a</u> $\dim(k) \leq 1$, <u>et</u> $[k : k^p]$ <u>est égal à</u> 1 <u>ou à</u> p.

Vu la proposition précédente, le corps k vérifie la condition (iv) de la proposition 5. On a donc bien $\dim(k) \leq 1$. D'autre part, supposons $k \neq k^p$, et soit K une extension radicielle de k de degré p. D'après la proposition précédente, on a $N(K) = k$. Or $N(K) = K^p$. On a donc $K^p = k$, d'où $K^{p^2} = k^p$ et $[k : k^p] = [K : K^p] = p$.

<u>Remarques</u>.

1) La relation "$[k : k^p] = 1$ ou p" peut aussi s'exprimer en disant que les seules extensions radicielles de k sont les extensions $k^{p^{-i}}$, avec $i = 0, 1, \ldots, \infty$.

r S-2

2) On ignore si la réciproque du corollaire précédent est vraie - c'est peu probable.

<u>Exercice</u>. Construire un corps k tel que $\dim(k) \leq 1$ et $[k : k^p] > p$.

3.3. <u>Exemples de corps de dimension</u> ≤ 1.

a) Un corps <u>fini</u> est (C_1) : théorème de Chevalley. En particulier, il est de dimension ≤ 1.

b) Une extension de degré de transcendance 1 d'un corps algébriquement clos est (C_1) : théorème de Tsen. En particulier... etc.

c) Soit K un corps muni d'une valuation discrète à corps résiduel algébriquement clos. Supposons que K soit <u>hensélien</u>, et que $\hat{K}$ soit <u>séparable</u> sur K. Alors K vérifie (C_1) : théorème de Lang (Annals of Maths., 55, 1952). Cela s'applique en particulier à l'extension maximale non ramifiée d'un corps local à corps résiduel parfait.

d) Soit k une extension algébrique du corps $\mathbf{Q}$. Ecrivons $k = \varinjlim k_i$, les k_i étant finis sur $\mathbf{Q}$, et notons V_i l'ensemble des "places" de k_i (une "place" d'un corps de nombres peut être définie comme une topologie sur ce corps, définie par une valeur absolue non triviale). Soit $V = \varprojlim V_i$. Si $v \in V$, la place v induit sur chaque k_i une place, et le complété $(k_i)_v$ est défini. Posons :

$$n_v(k) = \text{ppcm.}[(k_i)_v : \mathbf{Q}_v] ,$$

c'est un nombre "surnaturel" (cf. Chap. I, n°1.3), qui est appelé le *degré de k en v*.

PROPOSITION 9. *Soit k une extension algébrique de $\mathbf{Q}$, et soit p un nombre premier. On suppose que $p \neq 2$, ou que k est totalement imaginaire. Si, pour toute place valuative v de k, l'exposant de p dans le degré local $n_v(k)$ est infini, on a $cd_p(G_k) \leq 1$.*

[On dit qu'un corps est "totalement imaginaire" s'il n'admet aucun plongement dans $\mathbf{R}$. Il revient au même de dire qu'on a $n_v(k) = 2$ pour toute place v de k définie par une valeur absolue archimédienne.]

<u>Démonstration</u>. On va d'abord prouver que la composante p-primaire de $Br(k)$ est nulle. Pour cela, soit $x \in Br(k)$, avec $px = 0$. Comme $k = \varinjlim k_i$, on a $Br(k) = \varinjlim Br(k_i)$, et x provient d'un élément $x_0 \in Br(k_{i_0})$. Or on sait (cf. par exemple Artin-Tate, <u>Class field theory</u>) qu'un élément du groupe de Brauer d'un corps de nombres est caractérisé par ses images locales,

elles-mêmes données par des invariants appartenant à $\underline{\underline{Q}}/\underline{\underline{Z}}$. Si $i \geqslant i_o$, l'image $x(i)$ de x dans $Br(k_i)$ a des invariants locaux bien définis ; soit W_i le sous-ensemble de V_i formé des places où l'invariant local de $x(i)$ est non nul. Les W_i forment un système projectif (pour $i \geqslant i_o$) ; nous allons voir que $\varprojlim W_i = \emptyset$. En effet, si $v \in \varprojlim W_i$, l'image de x dans chacun des groupes de Brauer $Br((k_i)_v)$ est non nulle. Mais on sait que, lorsqu'on fait une extension d'un corps local, l'invariant d'un élément du groupe de Brauer se trouve multiplié par le degré de l'extension (cf. [CL], p.201). Si alors v est valuative, p^{∞} divise $n_v(k)$ et, pour i assez grand, le degré de $(k_i)_v$ sur $(k_{i_o})_v$ est divisible par p, ce qui entraîne que l'invariant de $x(i)$ en v est nul, contrairement à l'hypothèse ; de même, si v est non valuative (ce qui n'est possible que si $p = 2$), le corps $(k_i)_v$ est égal à $\underline{\underline{C}}$ pour i assez grand, et l'invariant de $x(i)$ en v est encore nul. On a donc bien $\varprojlim W_i = \emptyset$, et comme les W_i sont finis, cela entraîne $W_i = \emptyset$ pour i assez grand (cf. Chap. I, n°1.4, lemme 3), d'où $x(i) = 0$ et $x = 0$. On a bien prouvé que $Br(k)(p) = 0$.

Pour la même raison, on a $Br(k')(p) = 0$ pour toute extension algébrique k' de k, et la proposition 4 montre que $cd_p(G_k) \leq 1$, cqfd.

COROLLAIRE. Si k est totalement imaginaire, et si le degré local de toute place valuative de k est égal à ∞, on a $\dim(k) \leq 1$.

En effet, k est parfait, et $cd_p(G_k)$ est ≤ 1 pour tout p : on peut appliquer la proposition 6.

Remarque.

On ignore si un corps k qui vérifie les conditions du corollaire ci-dessus est nécessairement (C_1).

Exercice. Démontrer la réciproque de la proposition 9 [utiliser la surjectivité des applications canoniques $Br(k) \to Br(k_v)$].

§ 4. Théorèmes de transition.

4.1. Extensions algébriques.

PROPOSITION 10. *Soit* k' *une extension algébrique d'un corps* k, *et soit* p *un nombre premier. On a* $cd_p(G_{k'}) \leqslant cd_p(G_k)$, *et il y a égalité dans chacun des deux cas suivants* :

(i) $[k' : k]_s$ *est premier à* p.

(ii) $cd_p(G_k) < \infty$ *et* $[k' : k]_s < \infty$.

Le groupe de Galois $G_{k'}$ s'identifie à un sous-groupe du groupe de Galois G_k et son indice est égal à $[k' : k]_s$. La proposition résulte donc de la proposition 14 du Chapitre I.

4.2. Extensions transcendantes.

PROPOSITION 11. *Soit* k' *une extension de* k, *de degré de transcendance* N. *Si* p *est un nombre premier, on a*

$$cd_p(G_{k'}) \leqslant N + cd_p(G_k).$$

E-1 *Il y a égalité lorsque* $N < \infty$, $cd_p(G_k) < \infty$, *et que* p *est distinct de la caractéristique de* k.

Compte tenu de la proposition 10, on peut se borner au cas où $k' = k(t)$; on a alors $N = 1$. Si $\bar{k}$ désigne la clôture algébrique de k,

$\bar{k}/k$ est une extension quasi-galoisienne de groupe de Galois G_k. De plus,

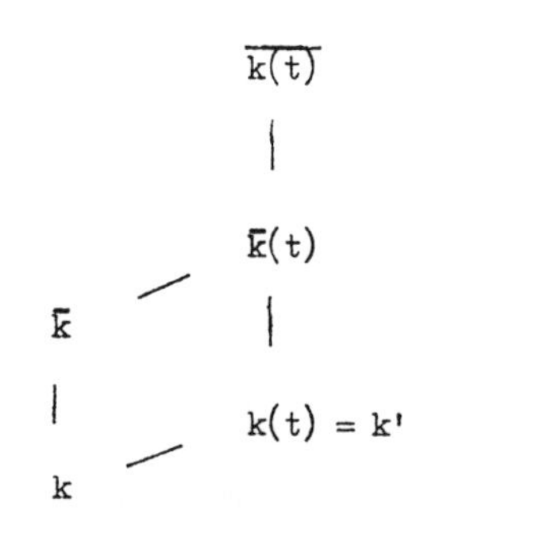

cette extension est linéairement disjointe de l'extension $k(t)/k$. On en conclut que le groupe de Galois de l'extension $\bar{k}(t)/k(t)$ s'identifie à G_k. D'autre part, si H désigne le groupe de Galois de $\overline{k(t)}/\bar{k}(t)$, le théorème de Tsen montre que $cd(H) \leq 1$. Comme $G_{k'}/H = G_k$, la proposition 15 du Chapitre I donne l'inégalité cherchée.

Reste à voir qu'il y a égalité lorsque $cd_p(G_k) < \infty$ et que p est distinct de la caractéristique de k. Quitte à remplacer G_k par un de ses p-groupes de Sylow, on peut supposer que G_k est un <u>pro</u>-p-<u>groupe</u>. Si μ_p désigne le groupe des racines p-ièmes de l'unité, G_k opère nécessairement de façon triviale sur μ_p, ce qui montre que les racines p-ièmes de l'unité appartiennent à k.

Posons $d = cd_p(G_k)$. Nous allons voir que $H^{d+1}(G_{k'}, \mu_p) \neq 0$, ce qui établira l'inégalité cherchée. La suite spectrale des extensions de groupes (cf. Chapitre I, n° 3.3) montre d'abord que l'on a :

$$H^{d+1}(G_{k'}, \mu_p) = H^d(G_k, H^1(H, \mu_p)).$$

Mais $H^1(H, \mu_p) = H^1(\bar{k}(t), \mu_p)$. Posons, pour simplifier l'écriture, $K = \bar{k}(t)$. La suite exacte $0 \to \mu_p \to \underline{\underline{G}}_m \xrightarrow{p} \underline{\underline{G}}_m \to 0$, appliquée au corps K, montre que $H^1(K, \mu_p) = K^*/K^{*p}$, et cet isomorphisme est compatible avec l'action du groupe $G_k = G_{k'}/H$. On a donc :

$$H^{d+1}(G_{k'}, \mu_p) = H^d(G_k, K^*/K^{*p}).$$

Soit $w : K^* \to \underline{\underline{Z}}$ la valuation de $K = \bar{k}(t)$ définie par un élément de k (par exemple 0) ; par passage au quotient, w définit un homomorphisme surjectif : $K^*/K^{*p} \to \underline{\underline{Z}}/p\underline{\underline{Z}}$ qui est compatible avec l'action de G_k. On en déduit un homomorphisme

$$H^d(G_k, K^*/K^{*p}) \to H^d(G_k, \underline{\underline{Z}}/p\underline{\underline{Z}})$$

qui est également surjectif (car $cd_p(G_k) \leq d$). Mais, puisque G_k est un pro-p-groupe, on a $H^d(G_k, \underline{\underline{Z}}/p\underline{\underline{Z}}) \neq 0$. Il s'ensuit que $H^d(G_k, K^*/K^{*p}) \neq 0$, d'où $H^{d+1}(G_k, \mu_p) \neq 0$, cqfd.

COROLLAIRE. Si k est, soit un corps de fonctions d'une variable sur un corps fini, soit un corps de fonctions de deux variables sur un corps algébriquement clos, on a $cd(G_k) = 2$.

[Par "corps de fonctions de r variables" sur un corps k_o , on entend une extension de k_o, de degré de transcendance r, et de type fini sur k_o.]

Cela résulte de ce que $cd(G_{k_o})$ est égal à 1 (resp. à 0) lorsque k_o est un corps fini (resp. un corps algébriquement clos).

Remarque.

Supposons que $cd_p(G_k) = \infty$. Il est probable que l'on a alors $cd_p(G_{k'}) = \infty$ pour toute extension transcendante pure k' de k, mais je ne vois pas comment le démontrer. Une remarque analogue s'applique à la proposition 12 ci-dessous. voir S-3

4.3. Corps locaux.

PROPOSITION 12. Soit K un corps complet pour une valuation discrète de corps résiduel parfait k. Pour tout nombre premier p, on a :

$$cd_p(G_K) \leqslant 1 + cd_p(G_k).$$

Il y a égalité lorsque $cd_p(G_k) < \infty$ _et que_ p _est distinct de la caractéristique de_ K.

La démonstration est analogue à la précédente. On utilise l'extension non ramifiée maximale K_{nr} de K. Le groupe de Galois de cette extension s'identifie à G_k ; d'autre part, celui de K_s/K_{nr} est de dimension cohomologique $\leqslant 1$ (cf. n° 3.3 ainsi que [CL], Chap. XII). La proposition 15 du Chapitre I s'applique et montre que $cd_p(G_K) \leqslant 1 + cd_p(G_k)$.

Lorsque $d = cd_p(G_k)$ est fini, et que p est premier à la caractéristique de K, on se ramène comme précédemment au cas où G_k est un pro-p-groupe. On calcule $H^{d+1}(G_K, \mu_p)$. On trouve :

$$H^{d+1}(G_K,\mu_p) = H^d(G_k, K^*_{nr}/K^{*p}_{nr}) .$$

La valuation de K_{nr} définit un homomorphisme surjectif

$$K^*_{nr}/K^{*p}_{nr} \to \mathbf{Z}/p\mathbf{Z} ,$$

d'où un homomorphisme surjectif $H^d(G_k, K^*_{nr}/K^{*p}_{nr}) \to H^d(G_k, \mathbf{Z}/p\mathbf{Z})$, et on en déduit encore que $H^{d+1}(G_K, \mu_p)$ est $\neq 0$, cqfd.

COROLLAIRE. _Si_ K _est un corps_ p-_adique, on a_ $cd(G_K) = 2$.

Cela résulte du fait que le corps résiduel k correspondant est un corps fini, donc de dimension 1.

4.4. _Dimension cohomologique du groupe de Galois d'un corps de nombres algébriques._

PROPOSITION 13. _Soit_ k _un corps de nombres algébriques_. _Si_ $p \neq 2$, _ou si_ k _est totalement imaginaire, on a_ $cd_p(G_k) \leqslant 2$.

La démonstration s'appuie sur le lemme suivant :

LEMME 1. <u>Pour tout nombre premier</u> p <u>il existe une extension abélienne</u> K <u>de</u> $\underline{\underline{Q}}$ <u>dont le groupe de Galois est isomorphe à</u> $\underline{\underline{Z}}_p$ <u>, et dont les degrés locaux</u> $n_v(K)$ <u>sont égaux à</u> p^∞, <u>pour toute place valuative</u> v <u>de</u> K.

[Comme K est galoisienne sur $\underline{\underline{Q}}$, le degré local $n_v(K)$ d'une place v de K ne dépend que de la place induite par v sur $\underline{\underline{Q}}$; si cette dernière est définie par le nombre premier ℓ, on écrira $n_\ell(K)$ au lieu de $n_v(K)$.]

Soit d'abord $\underline{\underline{Q}}(p)$ le corps obtenu en adjoignant à $\underline{\underline{Q}}$ les racines de l'unité d'ordre une puissance de p. Il est bien connu ("irréductibilité des polynômes cyclotomiques") que le groupe de Galois de cette extension s'identifie canoniquement au groupe U_p des unités du corps $\underline{\underline{Q}}_p$. De plus, le groupe de décomposition D_ℓ d'un nombre premier ℓ est égal à U_p tout entier si $\ell = p$, et à l'adhérence du sous-groupe de U_p engendré par ℓ si $\ell \neq p$ (cf. [CL], p.85). Dans tous les cas, on voit que D_ℓ est infini, et il en résulte que son ordre (qui n'est autre que $n_\ell(\underline{\underline{Q}}(p))$) est divisible par p^∞. Notons maintenant que U_p est produit direct d'un groupe fini par le groupe $\underline{\underline{Z}}_p$ (cf. par exemple [CL], p.220). Une telle décomposition définit un sous-corps K de $\underline{\underline{Q}}(p)$ tel que $G(K/\underline{\underline{Q}}) = \underline{\underline{Z}}_p$. Comme $[\underline{\underline{Q}}(p) : K]$ est fini, les degrés locaux de $K/\underline{\underline{Q}}$ sont nécessairement égaux à p^∞, ce qui achève la démonstration du lemme.

Revenons maintenant à la proposition 13. Soit K un corps jouissant des propriétés énoncées dans le lemme 1, et soit L un composé de K avec k. Le groupe de Galois de L/k s'identifie à un sous-groupe fermé d'indice fini du groupe $G(K/\underline{\underline{Q}})$; il est donc lui aussi isomorphe à $\underline{\underline{Z}}_p$. Le même argument montre que les degrés locaux des places valuatives de K sont égaux à p^∞.

D'après la proposition 9, on a $cd_p(G_L) \leqslant 1$. Comme d'autre part, on a $cd_p(\underline{\underline{Z}}_p) \leqslant 1$, la proposition 15 du Chapitre I montre que $cd_p(G_k) \leqslant 2$, cqfd.

4.5. La propriété (C_r).

C'est une propriété analogue à la propriété (C_1) du n°3.2 :

(C_r). Toute équation homogène $f(x_1, \ldots, x_n) = 0$, de degré d, à coefficients dans k, a une solution non triviale dans k^n si $n > d^r$.

On a vu plus haut que $(C_1) \Longrightarrow \dim(k) \leqslant 1 \Longrightarrow cd(G_k) \leqslant 1$. Lorsque $r \geqslant 2$, on ignore si (C_r) entraîne $cd(G_k) \leqslant r$, mais cela paraît probable. En tout cas, la propriété (C_r) vérifie des "théorèmes de transition" analogues ceux démontrés dans les n^{os}4.1 et 4.2. De façon plus précise :

(a) Si k' est une extension algébrique d'un corps k, et si k est (C_r), alors k' est (C_r). [C'est facile - cf. thèse de Lang, Annals, 1952.]

(b) Plus généralement, si k' est une extension de k de degré de transcendance N, et si k est (C_r), alors k' est (C_{r+N}). [cf. thèse de Lang, complétée par Nagata, Mem. Kyoto, 1957.]

Par contre, on ignore si la proposition 12 se laisse transposer dans ce cadre. Il faudrait prouver que, si K est un corps local dont le corps résiduel est (C_r), alors K est (C_{r+1}) ; cela entraînerait par exemple qu'un corps p-adique est (C_2), ce qui n'est pas encore démontré (on sait seulement qu'un corps p-adique vérifie la condition (C_2) pour des polynômes homogènes de degré $d \leqslant 3$). A fortiori, on ignore si un corps de nombres totalement imaginaire vérifie (C_2).

voir S.3

La propriété (C_2) a un certain nombre de conséquences, qui sont utiles dans l'étude des groupes classiques [et qui peuvent souvent se démontrer directement] :

(i) Toute forme quadratique à 5 variables sur k représente zéro.

[Cela permet de classifier complètement les formes quadratiques sur k au moyen de leur rang, leur discriminant, et leur invariant de Hasse-Minkowski-Witt - cf. Witt, Crelle 176.]

(ii) Si D est un corps gauche de centre k et fini sur k, la norme réduite $\mathrm{Nrd} : D^* \longrightarrow k^*$ est surjective.

C'est bien une conséquence de (C_2) : si l'on pose $n^2 = [D : k]$, et si $a \in k^*$, l'équation $\mathrm{Nrd}(x) = at^n$ est homogène de degré n et a n^2+1 inconnues ; elle a donc une solution non triviale, ce qui montre que $a \in \mathrm{Im}(\mathrm{Nrd})$.

Lorsque toutes les extensions algébriques k' d'un corps k vérifient (i) et (ii), nous dirons que k <u>vérifie la condition</u> (C_2'). On peut montrer facilement (resp. difficilement) qu'un corps p-adique (resp. un corps de nombres totalement imaginaire) vérifie (C_2').

§ 5. Corps p-adiques

Dans tout ce paragraphe, la lettre k désigne un corps p-adique, c'est-à-dire une extension finie du corps $\mathbb{Q}_p$. Un tel corps est complet pour une valuation discrète v et son corps résiduel k_0 est une extension finie $\mathbb{F}_{p^f}$ du corps premier $\mathbb{F}_p$; c'est un corps localement compact.

5.1. Rappels.

a) Structure de k^* :

Si $U(k)$ désigne le groupe des unités de k, on a la suite exacte

$$0 \longrightarrow U(k) \longrightarrow k^* \xrightarrow{v} \mathbb{Z} \longrightarrow 0.$$

Le groupe $U(k)$ peut être considéré comme un groupe analytique p-adique compact commutatif ; sa dimension N est égale à $[k:\mathbb{Q}_p]$. D'après la théorie de Lie, $U(k)$ est donc isomorphe au produit d'un groupe fini F par $(\mathbb{Z}_p)^N$; il est clair que F n'est autre que l'ensemble des racines de l'unité contenues dans k ; en particulier, c'est un groupe cyclique.

Il résulte de ce dévissage de k^* que les quotients k^*/k^{*n} sont finis pour tout $n \geqslant 1$, et l'on peut facilement évaluer leur ordre.

b) Le groupe de Galois G_k de $\bar{k}/k$ est de dimension cohomologique égale à 2 (cf. n°4.3, cor. à la prop. 12).

c) Le groupe de Brauer $Br(k) = H^2(k, \mathbb{G}_m)$ s'identifie à $\mathbb{Q}/\mathbb{Z}$, cf. [CL], Chap. XIII. Rappelons brièvement comment se fait cette identification :

Si l'on note k_{nr} l'extension maximale non ramifiée de k, on montre d'abord que $Br(k) = H^2(k_{nr}/k, \mathbb{G}_m)$, autrement dit que tout élément de $Br(k)$ est "neutralisé" par une extension non ramifiée. On montre ensuite que la valuation v donne un isomorphisme de $H^2(k_{nr}/k, \mathbb{G}_m)$ sur $H^2(k_{nr}/k, \mathbb{Z})$;

comme $G(k_{nr}/k) = \hat{\underline{\underline{Z}}}$, le groupe $H^2(k_{nr}/k, \underline{\underline{Z}})$ s'identifie à $\underline{\underline{Q}}/\underline{\underline{Z}}$, ce qui donne l'isomorphisme cherché.

5.2. <u>Cohomologie des G_k-modules finis</u>.

Ici, et dans toute la suite, on note μ_n le groupe des racines n-ièmes de l'unité de $\bar{k}$; c'est un G_k-module.

LEMME 2. *On a* $H^1(k, \mu_n) = k^*/k^{*n}$, $H^2(k, \mu_n) = \underline{\underline{Z}}/n\underline{\underline{Z}}$ *et* $H^i(k, \mu_n) = 0$ *pour* $i \geq 3$. *En particulier tous les* $H^i(k, \mu_n)$ *sont des groupes finis*.

On écrit la suite exacte de cohomologie correspondant à la suite exacte

$$0 \longrightarrow \mu_n \longrightarrow \underline{\underline{G}}_m \longrightarrow \underline{\underline{G}}_m \longrightarrow 0 ,$$

cf. n°2.3 . On a $H^0(k, \underline{\underline{G}}_m) = k^*$, $H^1(k, \underline{\underline{G}}_m) = 0$ et $H^2(k, \underline{\underline{G}}_m) = \underline{\underline{Q}}/\underline{\underline{Z}}$. On en déduit la détermination de $H^i(k, \mu_n)$ pour $i \leq 2$; le cas $i \geq 3$ est trivial puisque $cd(G_k) = 2$.

PROPOSITION 14. *Si* A *est un* G_k-*module fini*, $H^n(k, A)$ *est fini pour tout* n .

Il existe évidemment une extension galoisienne finie K de k telle que A soit isomorphe (comme G_K-module) à une somme directe de modules de type μ_n . Vu le lemme 2, les $H^j(K, A)$ sont tous finis. La suite spectrale

$$H^i(G(K/k), H^j(K, A)) \Longrightarrow H^n(k, A)$$

montre alors que les $H^n(k, A)$ sont finis.

En particulier, les groupes $H^2(k, A)$ sont finis ; on peut donc appliquer au groupe G_k les résultats du Chap.I, n°3.5 , et définir le <u>module dualisant</u> I de G_k .

THÉORÈME 1. *Le module dualisant* I *est isomorphe au module* μ *réunion des* μ_n , $n \geq 1$.

[On notera que μ est isomorphe à $\underline{\underline{Q}}/\underline{\underline{Z}}$ en tant que groupe abélien, mais pas en tant que G_k-module.]

Posons $G = G_k$ pour simplifier les notations. Soit n un entier ≥ 1, et soit I_n le sous-module de I formé des éléments annulés par n. Si H est un sous-groupe de G, on sait que I est un module dualisant pour H, et $\mathrm{Hom}^H(\mu_n, I_n) = \mathrm{Hom}^H(\mu_n, I)$ s'identifie au dual de $H^2(H, \mu_n)$, lequel est isomorphe à $\underline{\underline{Z}}/n\underline{\underline{Z}}$ d'après le lemme 2 (appliqué à l'extension de k correspondant à H). En particulier, le résultat est indépendant de H. Il s'ensuit que $\mathrm{Hom}(\mu_n, I_n) = \underline{\underline{Z}}/n\underline{\underline{Z}}$ et que G opère trivialement sur ce groupe. Si $f_n : \mu_n \longrightarrow I_n$ désigne l'élément de $\mathrm{Hom}(\mu_n, I_n)$ correspondant au générateur canonique de $\underline{\underline{Z}}/n\underline{\underline{Z}}$, on voit facilement que f_n est un isomorphisme de μ_n sur I_n compatible avec les opérations de G sur ces deux groupes. En faisant tendre n vers l'infini (multiplicativement !) on obtient un isomorphisme de μ sur I, ce qui démontre le théorème.

[Il n'est même pas nécessaire de vérifier que les f_n définis ci-dessus se prolongent les uns les autres ; il suffit d'appliquer le lemme 3 du Chap.I, n°1.4, au système projectif $\{ \mathrm{Isom}(\mu_n, I_n) \}$.]

THÉORÈME 2. *Soit A un G_k-module fini, et posons* :

$$A' = \mathrm{Hom}(A, \mu) = \mathrm{Hom}(A, \underline{\underline{G}}_m).$$

Pour tout entier i, $0 \leq i \leq 2$, le cup-produit

$$H^i(k, A) \times H^{2-i}(k, A') \longrightarrow H^2(k, \mu) = \underline{\underline{Q}}/\underline{\underline{Z}}$$

met en dualité les groupes finis $H^i(k, A)$ et $H^{2-i}(k, A')$.

Pour $i = 2$, c'est la définition même du module dualisant. Le cas $i = 0$ se ramène au cas $i = 2$ en remplaçant A par A' et en observant que $(A')' = A$. Pour la même raison, dans le cas $i = 1$, il suffit de prouver que l'homomorphisme canonique

$$H^1(k, A) \longrightarrow H^1(k, A')^* = \mathrm{Hom}(H^1(k, A'), \underline{\underline{Q}}/\underline{\underline{Z}})$$

est injectif. Or c'est "purement formel" à partir de ce que l'on sait déjà. En effet, puisque le foncteur $H^1(k, A)$ est effaçable, on peut plonger A dans un G_k-module B de telle sorte que $H^1(k, A) \longrightarrow H^1(k, B)$ soit nul. En posant $C = B/A$, on a un diagramme commutatif :

$$\begin{array}{ccccc} H^0(k, B) & \longrightarrow & H^0(k, C) & \xrightarrow{\delta} & H^1(k, A) \\ \alpha \downarrow & & \beta \downarrow & & \gamma \downarrow \\ H^2(k,B')^* & \longrightarrow & H^2(k,C')^* & \longrightarrow & H^1(k,A')^* \end{array}.$$

Comme α et β sont bijectifs et δ surjectif, on en conclut que γ est injectif, cqfd.

Remarques.

1) Le théorème de dualité précédent est dû à Tate. La démonstration initiale de Tate (reproduite dans les notes polycopiées de Lang) passait par l'intermédiaire de la cohomologie des "tores" ; elle utilisait de façon essentielle les théorèmes de Nakayama (cf. [CL], Chap. IX). Poitou en a donné une autre démonstration, qui consiste à se ramener par dévissage au cas de μ_n (cf. exer.1).

2) Lorsque le corps k, au lieu d'être p-adique, est un corps de séries formelles $k_0((T))$ sur un corps fini k_0 à p^f éléments, les résultats ci-dessus restent valables sans changement, pourvu que le module A soit d'ordre premier à p. Pour les modules p-primaires, la situation est différente. Il faut interpréter $A' = \mathrm{Hom}(A, \underline{\underline{G}}_m)$ comme un groupe algébrique de dimension

zéro (correspondant à une algèbre qui peut avoir des éléments nilpotents), et prendre la cohomologie de ce groupe non plus du point de vue galoisien (qui ne donnerait rien), mais du point de vue "radiciel". De plus, comme $H^1(k, A)$ n'est pas fini en général, il faut le munir d'une certaine topologie, et prendre les caractères qui sont continus pour cette topologie ; le théorème de dualité redevient alors applicable. Pour plus de détails, voir la thèse de Shatz.

Exercices.

1) En appliquant le théorème de dualité au module $A = \mathbb{Z}/n\mathbb{Z}$, montrer que l'on retrouve la dualité (donnée par la théorie du corps de classes local) entre $\mathrm{Hom}(G_k, \mathbb{Z}/n\mathbb{Z})$ et k^*/k^{*n} . Lorsque k contient les racines n-ièmes de l'unité, on peut identifier A à $A' = \mu_n$; montrer que l'application de $k^*/k^{*n} \times k^*/k^{*n}$ dans $\mathbb{Q}/\mathbb{Z}$ ainsi obtenue est donnée par le symbole de Hilbert (cf. [CL], Chap. XIV).

2) On prend pour k un corps complet pour une valuation discrète, dont le corps résiduel k_0 est quasi-fini (cf. [CL], p.198). Montrer que les théorèmes 1 et 2 restent valables, pourvu que l'on se limite à des modules finis d'ordre premier à la caractéristique de k_0 .

3) La partie "purement formelle" de la démonstration du théorème 2 est en fait un théorème sur les morphismes de foncteurs cohomologiques. Quel est ce théorème ?

4) Montrer directement, par application des critères de Verdier (cf. p. V-20) que G_k est un groupe de Cohen-Macaulay strict. En déduire une autre démonstration du théorème 2.

5.3 Premières applications.

PROPOSITION 15. Le groupe G_k est de dimension cohomologique stricte égale à 2 .

En effet, le groupe $H^o(G_k, I) = H^o(G_k, \mu)$ n'est autre que le groupe des racines de l'unité contenues dans k, et on a vu au n° 5.1 que ce groupe est fini ; la proposition en résulte, compte tenu de la prop.19 du Chap.I.

PROPOSITION 16. Si A est une variété abélienne définie sur k, on a $H^2(k, A) = 0$.

Pour tout $n \geq 1$, soit A_n le sous-groupe de A noyau de la multiplication par n. On voit immédiatement que $H^2(k, A) = \varinjlim H^2(k, A_n)$. D'après le théorème de dualité, $H^2(k, A_n)$ est dual de $H^o(k, A'_n)$. D'autre part, si B désigne la variété abélienne duale de A (au sens de la dualité des variétés abéliennes), on sait que A'_n peut être identifié à B_n . On est donc ramené à prouver que l'on a :

$$\varprojlim H^o(k, B_n) = 0 .$$

Or $B(k) = H^o(k, B)$ est un groupe de Lie p-adique compact et abélien. Son sous-groupe de torsion est donc fini, ce qui prouve que les $H^o(k, B_n)$ sont contenus dans un sous-groupe fini fixe de B ; la nullité de $\varprojlim H^o(k, B_n)$ en résulte aisément.

Remarque. Tate a démontré que $H^1(k, A)$ s'identifie au dual du groupe compact $H^o(k, B)$; il ne semble pas que ce résultat puisse s'obtenir simplement à partir du théorème de dualité du n° précédent.

Exercice.

Soit T un tore défini sur k. Montrer que les conditions suivantes sont équivalentes :

(i) $T(k)$ est compact,

(ii) Tout k-homomorphisme de T dans $\underline{\underline{G}}_m$ est trivial,

(iii) $H^2(k, T) = 0$.

5.4. Caractéristique d'Euler-Poincaré (cas élémentaire)

Soit A un G_k-module fini, et soit $h^i(A)$ l'ordre du groupe fini $H^i(k, A)$. Posons :

$$\chi(A) = \frac{h^0(A) . h^2(A)}{h^1(A)} .$$

On obtient un nombre rationnel > 0 que l'on appelle la caractéristique d'Euler-Poincaré de A. Si $0 \longrightarrow A \longrightarrow B \longrightarrow C \longrightarrow 0$ est une suite exacte de G_k-modules, on voit facilement que l'on a :

$$\chi(B) = \chi(A) . \chi(C) .$$

C'est l' "additivité" des caractéristiques d'Euler-Poincaré. Tate a montré que $\chi(A)$ ne dépend que de l'ordre a de A (de façon plus précise, il a prouvé l'égalité $\chi(A) = 1/(\underline{o}:a\underline{o})$, où $\underline{o}$ désigne l'anneau des entiers de k). Nous nous contenterons, pour le moment, d'un cas particulier élémentaire :

PROPOSITION 17. Si l'ordre de A est premier à p, on a $\chi(A) = 1$.

On va utiliser la suite spectrale associée à la tour d'extensions $k \longrightarrow k_{nr} \longrightarrow \bar{k}$. Le groupe $G(k_{nr}/k)$ s'identifie à $\hat{\underline{\underline{Z}}}$, on le sait. Si l'on désigne par U le groupe $G(\bar{k}/k_{nr})$, la théorie des groupes de ramification montre que le p-groupe de Sylow U_p de U est distingué dans U, et que le quotient $V = U/U_p$ est isomorphe au produit des $\mathbb{Z}_\ell$, pour $\ell \neq p$. On en déduit facilement que $H^i(U, A)$ est fini pour tout i, et nul pour $i \geqslant 2$. La suite spectrale

$$H^i(k_{nr}/k, H^j(k_{nr}, A)) \Longrightarrow H^n(k, A)$$

devient ici $\quad H^i(\hat{\mathbb{Z}}, H^j(U, A)) \Longrightarrow H^n(k, A)$.

On en déduit :

$$H^0(k, A) = H^0(\hat{\mathbb{Z}}, H^0(U, A)) \quad , H^2(k, A) = H^1(\hat{\mathbb{Z}}, H^1(U, A)) ,$$

et l'on a une suite exacte :

$$0 \longrightarrow H^1(\hat{\mathbb{Z}}, H^0(U, A)) \longrightarrow H^1(k, A) \longrightarrow H^0(\hat{\mathbb{Z}}, H^1(U, A)) \longrightarrow 0.$$

Mais, si M est un $\hat{\mathbb{Z}}$-module fini, il est immédiat que les groupes $H^0(\hat{\mathbb{Z}}, M)$ et $H^1(\hat{\mathbb{Z}}, M)$ ont même nombre d'éléments. En appliquant ceci à $M = H^0(U, A)$ et $M = H^1(U, A)$, on voit que $h^1(A) = h^0(A) . h^2(A)$, ce qui démontre bien que $\chi(A) = 1$.

<u>Exercice</u>.

Montrer que le groupe U_p défini dans la démonstration de la prop.17 est un pro-p-groupe libre. En déduire que l'on a $H^j(U, A) = 0$ pour $j \geqslant 2$ et pour tout G_k-module de torsion A. Montrer que, si A est un p-groupe $\neq 0$, le groupe $H^1(U, A)$ <u>n'est pas</u> fini.

5.5.<u>Cohomologie non ramifiée</u>.

Nous conservons les notations du n° précédent. Un G_k-module A est dit <u>non ramifié</u> si le groupe $U = G(\bar{k}/k_{nr})$ opère <u>trivialement</u> sur A ; cela permet de considérer A comme un $\hat{\mathbb{Z}}$-module, puisque $G(k_{nr}/k) = \hat{\mathbb{Z}}$. En particulier, les groupes de cohomologie $H^i(k_{nr}/k, A)$ sont définis. Nous les noterons $H^i_{nr}(k, A)$.

PROPOSITION 18. *Soit* A *un* G_k*-module fini et non ramifié. On a :*

(a) $H^o_{nr}(k, A) = H^o(k, A)$

(b) $H^1_{nr}(k, A)$ *s'identifie à un sous-groupe de* $H^1(k, A)$; *son ordre est égal à celui de* $H^o(k, A)$

(c) $H^i_{nr}(k, A) = 0$ *pour* $i \geq 2$.

L'assertion (a) est triviale ; l'assertion (b) résulte du fait que $H^o(\hat{\underline{\underline{Z}}}, A)$ et $H^1(\hat{\underline{\underline{Z}}}, A)$ ont même nombre d'éléments ; l'assertion (c) résulte de ce que $\hat{\underline{\underline{Z}}}$ est de dimension cohomologique égale à 1.

PROPOSITION 19. *Soit* A *un* G_k*-module fini, non ramifié, et d'ordre premier à* p. *Le module* $A' = Hom(A, \mu)$ *jouit des mêmes propriétés. De plus, dans la dualité entre* $H^1(k, A)$ *et* $H^1(k, A')$, *chacun des sous-groupes* $H^1_{nr}(k, A)$ *et* $H^1_{nr}(k, A')$ *est l'orthogonal de l'autre.*

Soit $\bar{\mu}$ le sous-module de μ formé des éléments d'ordre premier à p. Il est bien connu que $\bar{\mu}$ est un G_k-module non ramifié (le générateur canonique F de $G(k_{nr}/k) = \hat{\underline{\underline{Z}}}$ opère sur $\bar{\mu}$ par $\lambda \mapsto \lambda^q$, q étant le nombre d'éléments du corps résiduel k_o). Comme $A' = Hom(A, \bar{\mu})$, on en déduit bien que A' est non ramifié.

Le cup-produit $H^1_{nr}(k, A) \times H^1_{nr}(k, A') \longrightarrow H^2(k, \mu)$ se factorise à travers $H^2_{nr}(k, \bar{\mu})$, qui est nul. On en déduit que $H^1_{nr}(k, A)$ et $H^1_{nr}(k, A')$ sont orthogonaux. Pour prouver que chacun est exactement l'orthogonal de l'autre, il suffit de vérifier que l'ordre $h^1(A)$ de $H^1(k, A)$ est égal au produit $h^1_{nr}(A) . h^1_{nr}(A')$ des ordres de $H^1_{nr}(k, A)$ et $H^1_{nr}(k, A')$. Or la prop.18 montre que $h^1_{nr}(A) = h^o(A)$, et de même $h^1_{nr}(A') = h^o(A')$. D'après le théorème de dualité, $h^o(A') = h^2(A)$. Comme $\chi(A) = 1$ (cf. prop.17), on en déduit bien que

$h^1(A) = h^0(A) . h^2(A) = h^1_{nr}(A) . h^1_{nr}(A')$, cqfd.

Exercice.

Etendre les propositions 17,18, 19 aux corps complets pour une valuation discrète de corps résiduel quasi-fini. Peut-on faire de même pour les propositions 15 et 16 ?

5.6. Le groupe de Galois de la p-extension maximale de k.

Soit $k(p)$ la p-extension maximale de k, au sens du § 2. Par définition, le groupe de Galois $G_k(p)$ de $k(p)/k$ est le plus grand quotient de G_k qui soit un pro-p-groupe. Nous allons étudier la structure de ce groupe.

PROPOSITION 20. *Soit* A *un* $G_k(p)$*-module de torsion et p-primaire. Pour tout entier* $i \geq 0$, *l'homomorphisme canonique*

$$H^i(G_k(p), A) \longrightarrow H^i(G_k, A)$$

est un isomorphisme.

On utilise le lemme suivant :

LEMME 3. *Si* K *est une extension algébrique de* k *dont le degré est divisible par* p^∞, *on a* $Br(K)(p) = 0$.

On écrit K comme réunion de sous-extensions finies K_α de k. On a $Br(K) = \varinjlim Br(K_\alpha)$. De plus chaque $Br(K_\alpha)$ s'identifie à $\mathbf{Q}/\mathbf{Z}$, et si K_β contient K_α, l'homomorphisme correspondant de $Br(K_\alpha)$ dans $Br(K_\beta)$ est simplement la multiplication par le degré $[K_\beta : K_\alpha]$ (cf. [CL], p.201). Le lemme résulte facilement de là (cf. démonstration de la prop.9, n°3.3).

Revenons à la démonstration de la proposition 20. Le corps $k(p)$ contient la p-extension maximale non ramifiée de k, dont le groupe de Galois est $\mathbf{Z}_p$;

on a donc $[k(p) : k] = p^{\infty}$ et le lemme 3 s'applique à toutes les extensions algébriques K de $k(p)$. Si $I = G(\bar{k}/k(p))$, cela entraîne que $cd_p(I) \leqslant 1$, cf. n°2.3, prop.4. On a donc $H^i(I, A) = 0$ pour $i \geqslant 2$; mais on a aussi $H^1(I, A) = 0$, car tout homomorphisme de I dans un p-groupe est trivial (cf. n°2.1, démonstration de la prop.2). La suite spectrale des extensions de groupes montre alors bien que tous les homomorphismes

$$H^i(G_k/I, A) \longrightarrow H^i(G_k, A)$$

sont des isomorphismes, cqfd.

THÉORÈME 3. Si k ne contient pas de racine primitive p-ième de l'unité, le groupe $G_k(p)$ est un pro-p-groupe libre, de rang $N + 1$, avec $N = [k:\mathbb{Q}_p]$.

D'après la prop.20, on a $H^2(G_k(p), \mathbb{Z}/p\mathbb{Z}) = H^2(k, \mathbb{Z}/p\mathbb{Z})$; le théorème de dualité montre que ce dernier groupe est dual de $H^0(k, \mu_p)$, qui est nul par hypothèse. On a donc $H^2(G_k(p), \mathbb{Z}/p\mathbb{Z}) = 0$, ce qui signifie que $G_k(p)$ est libre, cf. Chap.I, n°4.2. Pour calculer son rang, il faut déterminer la dimension de $H^1(G_k(p), \mathbb{Z}/p\mathbb{Z})$, qui est isomorphe à $H^1(G_k, \mathbb{Z}/p\mathbb{Z})$. D'après la théorie du corps de classes local (ou le théorème de dualité) ce groupe est dual de k^*/k^{*p} ; vu les résultats rappelés au n°5.1 , k^*/k^{*p} est un $\mathbb{F}_p$-espace vectoriel de dimension $N+1$, cqfd.

THÉORÈME 4. Si k contient une racine primitive p-ième de l'unité, le groupe $G_k(p)$ est un pro-p-groupe de Poincaré de dimension 2, et de rang $N+2$, avec $N = [k:\mathbb{Q}_p]$. Son module dualisant est la composante p-primaire $\mu(p)$ du groupe μ des racines de l'unité.

On a cette fois $H^0(k, \mu_p) = \mathbb{Z}/p\mathbb{Z}$, d'où $H^2(k, \mathbb{Z}/p\mathbb{Z}) = \mathbb{Z}/p\mathbb{Z}$. Appliquant la prop. 20 , on voit que $H^2(G_k(p), \mathbb{Z}/p\mathbb{Z}) = \mathbb{Z}/p\mathbb{Z}$, et $H^i(G_k(p), \mathbb{Z}/p\mathbb{Z}) = 0$

pour $i \geq 2$, ce qui montre déjà que $cd_p(G_k(p)) = 2$. Pour vérifier que $G_k(p)$ est un groupe de Poincaré, il reste à prouver que le cup-produit :

$$H^1(G_k(p), \mathbb{Z}/p\mathbb{Z}) \times H^1(G_k(p), \mathbb{Z}/p\mathbb{Z}) \longrightarrow H^2(G_k(p), \mathbb{Z}/p\mathbb{Z}) = \mathbb{Z}/p\mathbb{Z}$$

est une forme bilinéaire non dégénérée. Or cela résulte simplement de la prop. 20, et du résultat analogue pour la cohomologie de k (il faut noter que μ_p et $\mathbb{Z}/p\mathbb{Z}$ sont isomorphes).

Le rang de $G_k(p)$ est égal à la dimension de $H^1(G_k(p), \mathbb{Z}/p\mathbb{Z})$, qui est égale à celle de k^*/k^{*p} , c'est-à-dire $N+2$.

Reste à montrer que le module dualisant de $G_k(p)$ est $\mu(p)$. Tout d'abord, puisque k contient μ_p , le corps obtenu en adjoignant à k les racines p^n-ièmes de l'unité est une extension abélienne de k, de degré $\leqslant p^{n-1}$; elle est donc contenue dans $k(p)$. Cela montre déjà que $\mu(p)$ est un $G_k(p)$-module ; d'après la prop. 20, on a

$$H^2(G_k(p), \mu(p)) = H^2(k, \mu(p)) = (\mathbb{Q}/\mathbb{Z})(p) = \mathbb{Q}_p/\mathbb{Z}_p .$$

Soit maintenant A un $G_k(p)$-module fini et p-primaire. Posons :

$$A' = \mathrm{Hom}(A, \mu) = \mathrm{Hom}(A, \mu(p)).$$

On obtient ainsi un $G_k(p)$-module. Si $0 \leqslant i \leqslant 2$, le cup-produit définit une application bilinéaire :

$$H^i(G_k(p), A) \times H^{2-i}(G_k(p), A') \longrightarrow H^2(G_k(p), \mu(p)) = \mathbb{Q}_p/\mathbb{Z}_p .$$

D'après la prop. 20, cette application s'identifie à l'application correspondante pour la cohomologie de G_k ; d'après le théorème 2, c'est donc une dualité entre $H^i(G_k(p), A)$ et $H^{2-i}(G_k(p), A')$, ce qui achève de prouver que $\mu(p)$ est le module dualisant de $G_k(p)$.

COROLLAIRE (Kawada). Le groupe $G_k(p)$ peut être défini par $N+2$ générateurs et une relation.

Cela résulte des égalités :

$$\dim . H^1(G_k(p), \underline{\underline{Z}}/p\underline{\underline{Z}}) = N+2 \qquad \text{et} \qquad \dim . H^2(G_k(p), \underline{\underline{Z}}/p\underline{\underline{Z}}) = 1 .$$

Remarque.

En fait, la structure de $G_k(p)$ a été déterminée complètement par Demuškin (mis à part un cas exceptionnel). Le résultat est le suivant : notons p^s la plus grande puissance de p telle que k contienne les racines p^s-ièmes de l'unité, et supposons que $p^s \neq 2$ (c'est notamment le cas si $p \neq 2$). On peut alors choisir les générateurs $x_1, \ldots, x_{N+2}$ de $G_k(p)$, et la relation r entre ces générateurs, de telle sorte que l'on ait :

$$r = x_1^{p^s}(x_1, x_2) \ldots (x_{N+1}, x_{N+2}) \quad .$$

[On pose $(x,y) = xyx^{-1}y^{-1}$. Noter que l'hypothèse $p^s \neq 2$ entraîne que N est pair.]

Lorsque $p = 2$, $s = 1$, on ne sait traiter jusqu'à présent que le cas où N est impair ; on montre que la relation r peut alors s'écrire sous la forme suivante :

$$r = x_1^2 \, x_2^4 \, (x_2, x_3) \ldots (x_{N+1}, x_{N+2}) \quad .$$

En particulier, pour $k = \underline{\underline{Q}}_2$, le groupe $G_k(2)$ est engendré par 3 éléments x,y,z liés par la relation

$$x^2 \, y^4 (y,z) = 1$$

Pour plus de détails là-dessus, voir la note de Demuškin aux Doklady, ainsi que l'exposé 252 du séminaire Bourbaki.

)ir S-2

Exercices.

1) Soit k_o un corps parfait de caractéristique p, et soit $\underline{g}$ le groupe de Galois de $\bar{k}_o$ sur k_o. Si $(n,p) = 1$, soit $(\mu_n)_o$ le groupe des racines n-ièmes de l'unité contenues dans $\bar{k}_o$; soit $T(k_o)$ la limite projective des $(\mu_n)_o$. Montrer que $T(k_o)$ est isomorphe (non canoniquement) au produit $\hat{\underline{\underline{Z}}}'$ des $\underline{\underline{Z}}_\ell$, pour $\ell \neq p$. Le groupe $\underline{g}$ opère continûment sur $T(k_o)$.

Soit k un corps complet pour une valuation discrète de corps résiduel k_o. Une extension galoisienne finie k' de k est dite <u>modérément ramifiée</u> si le groupe d'inertie correspondant est d'ordre premier à p (cela revient à dire que les groupes de ramifications supérieurs sont triviaux, cf. [CL], Chap. IV). Soit K la composée de toutes ces extensions. Montrer que le groupe de Galois $G(K/k)$ est isomorphe au produit semi-direct de $\underline{g}$ par $T(k_o)$. En appliquant ce résultat au cas où $k_o = \underline{\underline{F}}_q$, montrer que $G(K/k)$ est isomorphe au produit semi-direct de $\hat{\underline{\underline{Z}}}$ par $\hat{\underline{\underline{Z}}}'$ par la formule $\lambda \to q\lambda$. Montrer que ce produit semi-direct est isomorphe au groupe profini associé au groupe discret défini par deux générateurs x,y liés par la relation $yxy^{-1} = x^q$.

2) On désigne par k un corps complet pour une valuation discrète de corps résiduel $\underline{\underline{F}}_q$, avec $q = p^f$; on note ℓ un nombre premier $\neq p$; on se propose de déterminer la structure du groupe $G_k(\ell)$.

(a) On suppose que $\underline{\underline{F}}_q$ ne contient pas de racine primitive ℓ-ième de l'unité, autrement dit que ℓ ne divise pas $q - 1$. Montrer que $G_k(\ell)$ est un pro-ℓ-groupe libre de rang 1, et que l'extension $k(\ell)/k$ est non ramifiée.

(b) On suppose que $q \equiv 1 \mod. \ell$. Montrer que $G_k(\ell)$ est un pro-ℓ-groupe de Poincaré de dimension 2 et de rang 2. Montrer, en utilisant l'exercice 1, que $G_k(\ell)$ peut être défini par deux générateurs x,y liés par la relation $yxy^{-1} = x^q$. Montrer que ce groupe est isomorphe au sous-groupe du groupe affine $\begin{pmatrix} a & b \\ 0 & 1 \end{pmatrix}$ formé des matrices telles que $b \in \underline{\underline{Z}}_\ell$, et que $a \in \underline{\underline{Z}}_\ell^*$ soit une puissance ℓ-adique entière de q.

(c) Les hypothèses étant celles de (b), on note m la valuation ℓ-adique de $q - 1$. Montrer que m est le plus grand entier tel que k contienne les racines ℓ^m-ièmes de l'unité. Montrer que, si $\ell \neq 2$, ou si $\ell = 2$ et $m \neq 1$, le groupe $G_k(\ell)$ peut être défini par deux générateurs x et y liés par la relation

$$yxy^{-1} = x^{1+\ell^m} .$$

Si $\ell = 2$, $m = 1$, soit n la valuation 2-adique de $q+1$. Montrer que $G_k(2)$ peut être défini par deux générateurs x et y liés par la relation

$$yxy^{-1} = x^{-(1 + 2^n)} .$$

(d) Expliciter le module dualisant de $G_k(\ell)$ dans le cas (b).

5.7. <u>Caractéristique d'Euler-Poincaré</u>.

On revient aux notations du n° 5.4. En particulier, $\underline{o}$ désigne l'anneau des entiers de k. Pour tout $x \in k$, on note $\|x\|_k$ la <u>valeur absolue normalisée</u> de x, cf. [CL], p.37. Pour tout $x \in \underline{o}$, on a :

$$\|x\|_k = \frac{1}{(\underline{o}:x\underline{o})} .$$

En particulier :

$$\|p\|_k = p^{-N} , \text{ avec } N = [k:\underline{\underline{Q}}_p] .$$

Si A est un G_k-module fini, on note $\chi(k, A)$ (ou simplement $\chi(A)$ s'il n'y a aucun risque de confusion sur k) la <u>caractéristique d'Euler-Poincaré</u>

de A (n°5.4). Le théorème de Tate s'énonce alors ainsi :

THÉORÈME 5. *Si l'ordre du* G_k*-module fini* A *est égal à* a, *on a* :

$$\chi(A) = \|a\|_k$$

Les deux membres de la formule dépendent "additivement" de A. On est donc ramené, par un dévissage immédiat, au cas où A est un espace vectoriel sur un corps premier. Si ce corps est de caractéristique $\neq p$, le théorème a déjà été démontré (prop. 17). On peut donc supposer que A *est un espace vectoriel sur* $\mathbf{F}_p$. On peut alors considérer A comme un $\mathbf{F}_p[G]$*-module*, où G désigne un quotient fini de G_k. Soit K(G) le *groupe de Grothendieck* de la catégorie des $\mathbf{F}_p[G]$-modules de type fini (cf. par exemple Giorgiutti ou Swan) ; les fonctions $\chi(A)$ et $\|a\|_k$ définissent des homomorphismes χ et φ de K(G) dans $\mathbf{Q}_+^*$, et *tout revient à prouver que* $\chi = \varphi$. Comme $\mathbf{Q}_+^*$ est un groupe abélien *sans torsion*, il suffit de montrer que χ et φ ont la même valeur sur des éléments x_i de K(G) qui engendrent $K(G) \otimes \mathbf{Q}$. Or on a le lemme suivant :

LEMME 4. *Pour tout sous-groupe* C *de* G, *notons* M_G^C *l'homomorphisme de* $K(C) \otimes \mathbf{Q}$ *dans* $K(G) \otimes \mathbf{Q}$ *défini par le foncteur* M_G^C *du Chap.I, n°2.5* ("module induit"). *Le groupe* $K(G) \otimes \mathbf{Q}$ *est engendré par les images des* M_G^C, *pour* C *parcourant l'ensemble des sous-groupes cycliques de* G *d'ordre premier à* p.

Ce résultat peut se déduire de la description de $K(G) \otimes \mathbf{Q}$ au moyen de "caractères modulaires". On peut aussi, plus simplement, appliquer les résultars généraux de Swan (cf. Annals, 71, 1960, p.560).

Il résulte de ce lemme qu'il suffit de prouver l'égalité $\chi(A) = \|a\|_k$ lorsque A est un $\mathbf{F}_p[G]$-module de la forme $M_G^C(B)$, avec C sous-groupe cyclique de G, d'ordre premier à p. Or, si K est l'extension de k correspondant à C, et si $b = \mathrm{Card}(B)$, on a :

$$\chi(K, B) = \chi(k, A) \quad \text{et} \quad \|b\|_K = (\|b\|_k)^{[K:k]} = \|a\|_k .$$

La formule à démontrer est donc équivalente à la formule $\chi(K, B) = \|B\|_K$, ce qui signifie que nous sommes ramenés au cas du module B , ou encore (quitte à changer le corps de base), que <u>nous sommes ramenés au cas où le groupe</u> G <u>est cyclique d'ordre premier à</u> p. Cela va simplifier la situation, du fait notamment que l'algèbre $\mathbb{F}_p[G]$ est maintenant <u>semi-simple</u>.

Soit L l'extension de k telle que $G(L/k) = G$. Comme l'ordre de G est premier à celui de A, on a :

$$H^i(k, A) = H^0(G, H^i(L, A)) \quad \text{pour tout } i.$$

Cela nous amène à introduire l'élément $h_L(A)$ de $K(G)$ défini par la formule :

$$h_L(A) = \sum_{i=0}^{i=2} (-1)^i \, [H^i(L, A)] \ .$$

où $[H^i(L, A)]$ désigne l'élément de $K(G)$ qui correspond au $K(G)$-module $H^i(L, A)$.

Soit d'autre part $\Theta : K(G) \longrightarrow \mathbb{Z}$ l'unique homomorphisme de $K(G)$ dans $\mathbb{Z}$ tel que $\Theta([E]) = \dim. H^0(G, E)$ pour tout $K(G)$-module E. On a évidemment :

$$\log_p \chi(A) = \Theta(h_L(A)).$$

Or, on peut expliciter $h_L(A)$:

LEMME 5. <u>Soit</u> $r_G \in K(G)$ <u>la classe du module</u> $\mathbb{F}_p[G]$ ("représentation régulière"), <u>soit</u> $N = [k:\mathbb{Q}_p]$, <u>et soit</u> $d = \dim(A)$. <u>On a</u> :

$$h_L(A) = - dN.r_G \ .$$

Admettons pour un instant ce lemme. Comme $\Theta(r_G) = 1$, on en déduit que $\Theta(h_L(A)) = - dN$, d'où $\chi(A) = p^{-dN} = \| p^d \|_k = \|a\|_k$.

Tout revient donc à démontrer le lemme 5. Notons d'abord que le cup-produit définit un isomorphisme de G-modules :

$$H^i(L, \underline{\underline{Z}}/p\underline{\underline{Z}}) \otimes A \longrightarrow H^i(L, A) .$$

Dans l'anneau $K(G)$, on a donc :

$$h_L(A) = h_L(\underline{\underline{Z}}/p\underline{\underline{Z}}).[A]$$

et tout revient à prouver que $h_L(\underline{\underline{Z}}/p\underline{\underline{Z}}) = - N.r_G$ (en effet, on vérifie sans difficultés que $r_G.[A] = \dim(A).r_G$). <u>On peut donc se borner à démontrer le lemme</u> 5 <u>lorsque</u> $A = \underline{\underline{Z}}/p\underline{\underline{Z}}$.

Or, dans ce cas, on a :

$H^0(L, \underline{\underline{Z}}/p\underline{\underline{Z}}) = \underline{\underline{Z}}/p\underline{\underline{Z}}$,

$H^1(L, \underline{\underline{Z}}/p\underline{\underline{Z}}) = \mathrm{Hom}(G_L , \underline{\underline{Z}}/p\underline{\underline{Z}}) =$ dual de L^*/L^{*p} (théorie du corps de classes)

$H^2(L, \underline{\underline{Z}}/p\underline{\underline{Z}}) =$ dual de $H^0(L, \mu_p)$ (théorème de dualité).

Soit U le groupe des unités de L. On a la suite exacte :

$$0 \longrightarrow U/U^p \longrightarrow L^*/L^{*p} \longrightarrow \underline{\underline{Z}}/p\underline{\underline{Z}} \longrightarrow 0 .$$

Si l'on désigne par $h_L(\underline{\underline{Z}}/p\underline{\underline{Z}})^*$ le dual de $h_L(\underline{\underline{Z}}/p\underline{\underline{Z}})$, on voit alors que l'on a :

$$h_L(\underline{\underline{Z}}/p\underline{\underline{Z}})^* = - [U/U^p] + [H^0(L, \mu_p)] .$$

Soit V le sous-groupe de U formé des éléments congrus à 1 modulo l'idéal maximal de l'anneau $\underline{o}_L$. On a $V/V^p = U/U^p$, et le groupe $H^0(L, \mu_p)$ n'est autre que le sous-groupe ${}_pV$ de V formé des éléments x de V tels que $x^p = 1$. On peut donc écrire :

$$- h_L(\underline{\underline{Z}}/p\underline{\underline{Z}})^* = [V/V^p] - [{}_pV]$$
$$= [\mathrm{Tor}_0(V, \underline{\underline{Z}}/p\underline{\underline{Z}})] - [\mathrm{Tor}_1(V, \underline{\underline{Z}}/p\underline{\underline{Z}})] .$$

Mais V est un $\underline{\underline{Z}}_p$-module de type fini, et l'on sait (c'est l'un des résultats élémentaires de la théorie de Brauer, cf. par exemple la thèse de Giorgiutti) que l'expression $[\mathrm{Tor}_0(V, \underline{\underline{Z}}/p\underline{\underline{Z}})] - [\mathrm{Tor}_1(V, \underline{\underline{Z}}/p\underline{\underline{Z}})]$ ne dépend que du <u>produit tensoriel de</u> V <u>avec</u> $\underline{\underline{Q}}_p$ (ou encore, si l'on veut, de l'<u>algèbre de Lie</u> du groupe analytique p-adique V). Or, le théorème de la base normale montre que cette algèbre de Lie est un $\underline{\underline{Q}}_p[G]$-module libre de rang N. On a donc :

$$[\mathrm{Tor}_0(V, \underline{\underline{Z}}/p\underline{\underline{Z}})] - [\mathrm{Tor}_1(V, \underline{\underline{Z}}/p\underline{\underline{Z}})] = N.r_G ,$$

et comme $(r_G)^* = r_G$, on voit bien que $h_L(\underline{\underline{Z}}/p\underline{\underline{Z}})$ est égal à $-N.r_G$, ce qui achève la démonstration.

<u>Remarque</u>. La démonstration initiale de Tate (reproduite dans les notes de Lang) n'utilisait pas le lemme 4, mais le remplaçait par un argument de "dévissage" moins précis : on se trouvait ramené au cas d'extensions galoisiennes L/k modérément ramifiées, mais d'ordre éventuellement divisible par p. L'étude de L^*/L^{*p} est alors nettement plus délicate, et Tate avait dû faire appel à un résultat d'Iwasawa (Trans. Amer. Math. Soc., <u>80</u>, 1955, p.459) ; il m'a d'ailleurs communiqué récemment une démonstration "cohomologique" du résultat en question.

<u>Exercices</u>.

1) Montrer directement que, si V et V' sont des $\underline{\underline{Z}}_p[G]$-modules de type fini, tels que $V \otimes \underline{\underline{Q}}_p = V' \otimes \underline{\underline{Q}}_p$, on a :

$$[V/pV] - [{}_pV] = [V'/pV'] - [{}_pV'] \quad \text{dans } K(G).$$

[Se ramener au cas où $V \supset V' \supset pV$, et utiliser la suite exacte :

$$0 \longrightarrow {}_pV' \longrightarrow {}_pV \longrightarrow V/V' \longrightarrow V'/pV' \longrightarrow V/pV \longrightarrow V/V' \longrightarrow 0 \text{]}$$

2) Soit F un corps de caractéristique p, soit A un espace vectoriel de dimension finie sur F, et supposons que G_k opère continûment (et linéairement) sur A ; les groupes de cohomologie $H^i(k, A)$ sont alors des F-espaces vectoriels. On pose :

$$\rho(A) = \sum (-1)^i \dim . H^i(k, A).$$

Montrer que $\rho(A) = - N.\dim(A)$, avec $N = [k:\mathbf{Q}_p]$. [Même démonstration que pour le théorème 5, en remplaçant partout le corps $\mathbf{F}_p$ par le corps F.]

3) Mêmes hypothèses que dans l'exercice précédent. On se donne une extension galoisienne L/k, de groupe de Galois G fini, telle que G_L opère trivialement sur A (i.e. A est un $F[G]$-module). On pose

$$h_L(A) = \sum (-1)^i [H^i(L, A)] ,$$

dans le groupe de Grothendieck $K_F(G)$ des $F[G]$-modules de type fini. Montrer que l'on a encore la formule :

$$h_L(A) = - N.\dim(A).r_G .$$

[Utiliser la théorie des caractères modulaires pour se ramener au cas où G est cyclique d'ordre premier à p.]

4) Mêmes hypothèses et notations que dans les deux exercices précédents, à cela près qu'on suppose F de caractéristique $\neq p$. Montrer que l'on a alors $\varphi(A) = 0$ et $h_L(A) = 0$ pour tout A.

5.8. Groupes de type multiplicatif.

Soit A un G_k-module de type fini sur $\mathbf{Z}$. On définit son dual A' par la formule habituelle :

$$A' = \mathrm{Hom}(A, \underline{\underline{G}}_m) .$$

Le groupe A' est le groupe des $\bar{k}$-points d'un groupe algébrique commutatif, défini sur k, et que nous désignerons encore par $\mathrm{Hom}(A, \underline{\underline{G}}_m)$. Lorsque A est fini, A' est fini ; lorsque A est libre sur $\underline{\underline{Z}}$, A' est le _tore_ de groupe des caractères A (cf. Chap.III, n°2.1). On se propose d'étendre au couple (A,A') le théorème de dualité du n°5.2. Le cup-produit définit en tout cas des applications bilinéaires

$$\theta_i : H^i(k, A) \times H^{2-i}(k, A') \longrightarrow H^2(k, \underline{\underline{G}}_m) = \underline{\underline{Q}}/\underline{\underline{Z}} \quad (i = 0,1,2).$$

THÉORÈME 6. (a) _Soit_ $H^0(k, A)^{\wedge}$ _le complété du groupe abélien_ $H^0(k, A)$ _pour la topologie des sous-groupes d'indice fini. L'application_ θ_0 _met en dualité le groupe compact_ $H^0(k, A)^{\wedge}$ _et le groupe discret_ $H^2(k, A')$.

(b) _L'application_ θ_1 _met en dualité les deux groupes finis_ $H^1(k, A)$ _et_ $H^1(k, A')$.

(c) _Le groupe_ $H^0(k, A')$ _peut être canoniquement muni d'une structure de groupe analytique p-adique ; soit_ $H^0(k, A')^{\wedge}$ _son complété pour la topologie des sous-groupes ouverts d'indice fini. L'application_ θ_2 _met en dualité le groupe discret_ $H^2(k, A)$ _et le groupe compact_ $H^0(k, A')^{\wedge}$.

[Lorsque A est fini, on peut supprimer les opérations de complétion de (a) et de (c), et l'on retrouve bien le théorème 2 du n°5.2.]

On va se borner à esquisser une démonstration par "dévissage" ; on devrait pouvoir aussi procéder directement à partir des résultats de l'Annexe au Chap.I, ou de ceux de Verdier.

i) _Cas où_ $A = \underline{\underline{Z}}$.

On a alors $A' = \underline{\underline{G}}_m$; l'assertion (a) résulte de l'isomorphisme

$H^2(k, \underline{\underline{G}}_m) = \underline{\underline{Q}}/\underline{\underline{Z}}$; l'assertion (b) résulte de ce que $H^1(k, \underline{\underline{Z}}) = 0$ et $H^1(k, \underline{\underline{G}}_m) = 0$; l'assertion (c) résulte de ce que $H^2(k, \underline{\underline{Z}})$ est isomorphe à $\mathrm{Hom}(G_k, \underline{\underline{Q}}/\underline{\underline{Z}})$, et la théorie du corps de classes local (théorème d' "existence" compris) montre que ce groupe est dual du complété de k^* (pour la topologie des sous-groupes ouverts d'indice fini).

ii) <u>Cas où</u> $A = \underline{\underline{Z}}[G]$, <u>avec</u> G <u>quotient fini de</u> G_k .

Si G est le groupe de Galois de l'extension finie K/k, on a $H^i(k, A) = H^i(K, \underline{\underline{Z}})$ et de même $H^i(k, A') = H^i(K, \underline{\underline{G}}_m)$. On est ainsi ramené au cas précédent (pour le corps K), à condition bien entendu de vérifier certaines commutativités de diagrammes.

iii) <u>Finitude de</u> $H^1(k, A)$ <u>et</u> $H^1(k, A')$.

Cette finitude est connue lorsque A lui-même est fini (cf. n°5.2). Par dévissage, on est donc ramené au cas où A est libre sur $\underline{\underline{Z}}$. Soit K/k une extension galoisienne de k, de groupe de Galois G, telle que G_K opère trivialement sur A. On a $H^1(K, A) = \mathrm{Hom}(G_K, A) = 0$, et de même $H^1(K, A')$ est nul (théorème 90). On a donc :

$$H^1(k, A) = H^1(G, A) \quad \text{et} \quad H^1(k, A') = H^1(G, A') .$$

Il est évident que le groupe $H^1(G, A)$ est fini ; la finitude du groupe $H^1(G, A')$ se démontre sans difficultés (cf. Chap.III, n°4.3).

iv) <u>Cas général</u>.

On écrit A comme quotient L/R, où L est un $\underline{\underline{Z}}[G]$-module libre de type fini, G étant un quotient fini de G_k . D'après (ii), le th.6 est vrai pour L, et l'on a $H^1(k, L) = H^1(k, L') = 0$. Les suites exactes de cohomologie relatives aux suites exactes de coefficients :

$$0 \to R \to L \to A \to 0$$

$$0 \to A' \to L' \to R' \to 0$$

se coupent chacune en deux tronçons. On obtient ainsi les diagrammes commutatifs (I) et (II) ci-dessous. Pour les écrires plus commodément, nous ne mentionnerons pas explicitement le corps k, et nous noterons E^* le groupe des homomorphismes continus d'un groupe topologique E dans le groupe discret $\mathbb{Q}/\mathbb{Z}$; pour les groupes topologiques que nous avons à considérer, il se trouve que "continu" équivaut à "d'ordre fini" . Ceci étant, les diagrammes en question sont les suivants :

$$\text{(I)} \quad \begin{array}{ccccccccc} 0 & \to & H^1(R)^* & \to & H^0(A)^* & \to & H^0(L)^* & \to & H^0(R)^* & \to & 0 \\ & & \uparrow f_1 & & \uparrow f_2 & & \uparrow f_3 & & \uparrow f_4 & & \\ 0 & \to & H^1(R') & \to & H^2(A') & \to & H^2(L') & \to & H^2(R') & \to & 0 \end{array}$$

et

$$\text{(II)} \quad \begin{array}{ccccccccc} 0 & \to & H^1(A) & \to & H^2(R) & \to & H^2(L) & \to & H^2(A) & \to & 0 \\ & & \downarrow g_1 & & \downarrow g_2 & & \downarrow g_3 & & \downarrow g_4 & & \\ 0 & \to & H^1(A')^* & \to & H^0(R')^* & \to & H^0(L')^* & \to & H^0(A')^* & \to & 0 \end{array}$$

Bien entendu, les flèches verticales sont définies par les applications bilinéaires Θ_i . Il faut noter également que les lignes de ces deux diagrammes sont des suites exactes ; c'est évident pour le diagramme (I) ainsi que pour la première ligne du diagramme (II) ; en ce qui concerne la deuxième ligne du diagramme (II), il faut remarquer le foncteur $\mathrm{Hom}_{\mathrm{cont}}(G, \underline{\underline{Q}}/\underline{\underline{Z}})$ est exact sur la catégorie des groupes abéliens loc. compacts G qui sont totalement discontinus et dénombrables à l'infini.

Le théorème 6 revient à dire que les applications f_2, g_1 et g_4 sont bijectives. Or, d'après (ii), g_3 est bijective. On en déduit que g_4 est surjective. Comme ce résultat peut s'appliquer à tout G_k-module A, il est également vrai pour R, ce qui prouve que g_2 est surjective ; de là et du diagramme (II), on tire que g_4 est bijective, puis que g_2 est bijective, et enfin que g_1 est bijective. Revenant au diagramme (1) , on voit que f_1 et f_3 sont bijectives ; on en déduit que f_2 est injective, donc aussi f_4, et finalement f_2 est bijective, ce qui achève la démonstration.

Remarque. Lorsque A est libre sur $\underline{\underline{Z}}$ (autrement dit lorsque A' est un tore), on peut donner une démonstration plus simple du théorème 6, basée sur les théorèmes du type Nakayama-Tate (cf.[CL], Chap. IX) ; cette démonstration est reproduite dans les notes de Lang.

§ 6. Corps de nombres algébriques

Dans tout ce paragraphe, on note k un corps de nombres algébriques, c'est-à-dire une extension finie de $\mathbb{Q}$. Une place de k est une classe d'équivalence de valeurs absolues non impropres de k ; l'ensemble des places est noté V. Si $v \in V$, le complété de k pour la topologie associée à v est noté k_v ; si v est archimédienne, k_v est isomorphe à $\mathbb{R}$ ou $\mathbb{C}$; si v est non archimédienne, k_v est un corps p-adique.

6.1. Modules finis - définition des groupes $P^i(k, A)$.

Soit A un groupe algébrique commutatif de dimension zéro, autrement dit un G_k-module fini. Le changement de base $k \longrightarrow k_v$ permet de définir les groupes de cohomologie $H^i(k_v, A)$. [Lorsque v est une place archimédienne, nous conviendrons que $H^0(k_v, A)$ désigne le 0-ième groupe de cohomologie modifié (cf.[CL], Chap.VIII, n°1) du groupe fini G_{k_v} à valeurs dans A. Si par exemple v est complexe, on a $H^0(k_v, A) = 0$.]

D'après le n° 1.1, on a des homomorphismes canoniques :

$$H^i(k, A) \longrightarrow H^i(k_v, A).$$

Ces homomorphismes peuvent s'interpréter de la manière suivante :

Soit w une extension de v à $\bar{k}$, et soit D_w le groupe de décomposition correspondant (on a $s \in D_w$ si et seulement si $s(w) = w$). Notons $\bar{k}_w$ la réunion des complétés des sous-extensions finies de $\bar{k}$ [attention : ce n'est pas le complété de $\bar{k}$ pour w, cf. exer.1] ; on démontre facilement que $\bar{k}_w$ est une clôture algébrique de k_v, et que son groupe de Galois est D_w. On peut donc identifier $H^i(k_v, A)$ à $H^i(D_w, A)$, et l'homomorphisme

$$H^i(k, A) \longrightarrow H^i(k_v, A)$$

devient alors simplement l'homomorphisme de restriction :

$$H^i(G_k, A) \longrightarrow H^i(D_w, A).$$

La collection des homomorphismes $H^i(k, A) \longrightarrow H^i(k_v, A)$ définit un homomorphisme $H^i(k, A) \longrightarrow \prod H^i(k_v, A)$. En fait, le produit direct peut être remplacé par un sous-groupe convenable. De façon précise, soit K/k une extension galoisienne finie de k telle que G_K opère trivialement dans A, et soit S un ensemble fini de places de k contenant toutes les places archimédiennes ainsi que toutes les places qui se ramifient dans K. Il est facile de voir que, pour $v \notin S$, le G_{k_v} -module A est non ramifié au sens du n°5.5 , et les sous-groupes $H^i_{nr}(k_v, A)$ sont bien définis. Soit $P^i(k, A)$ le sous-groupe du produit $\prod_{v \in V} H^i(k_v, A)$ formé des systèmes (x_v) tels que x_v appartienne $H^i_{nr}(k_v, A)$ pour presque tout $v \in V$. On a :

PROPOSITION 21. L'homomorphisme canonique $H^i(k, A) \longrightarrow \prod H^i(k_v, A)$ applique $H^i(k, A)$ dans $P^i(k, A)$.

En effet, tout élément x de $H^i(k, A)$ provient d'un élément $y \in H^i(L/k, A)$, où L/k est une extension galoisienne finie convenable. Si T désigne la réunion de S et de l'ensemble des places de k ramifiées dans L, il est clair que l'image x_v de x dans $H^i(k_v, A)$ appartient à $H^i_{nr}(k_v, A)$ pour tout $v \notin T$, d'où la proposition.

Nous noterons $f_i : H^i(k, A) \longrightarrow P^i(k, A)$ l'homomorphisme défini par la proposition précédente. D'après la prop.18 du n°5.5 , on a :

$$P^0(k, A) = \prod H^0(k_v, A) ,$$

$$P^2(k, A) = \coprod H^2(k_v, A) \quad \text{(somme directe)}.$$

Quant au groupe $P^1(k, A)$, Tate propose de le noter $\coprod H^1(k_v, A)$, pour bien montrer qu'il est intermédiaire entre un produit direct et une somme directe.

Enfin, les groupes $P^i(k, A)$, $i \geq 3$, sont simplement les produits (finis) des $H^i(k_v, A)$, pour v parcourant l'ensemble des places archimédiennes réelles de k. En particulier, on a $P^i(k, A) = 0$ pour $i \geq 3$ si k est totalement imaginaire, ou si A est d'ordre impair.

Remarque. L'application f_0 est évidemment injective, et Tate a démontré (cf. n°6.3) que les f_i, $i \geq 3$, sont bijectives. Par contre, f_1 et f_2 ne sont pas nécessairement injectives (cf. Chap. III, n°4.7).

Exercices.

1) Soit w une place de la clôture algébrique $\bar{k}$ de k. Montrer que le corps $\bar{k}_w$ défini plus haut n'est pas complet [remarquer qu'il est réunion dénombrable de sous-espaces fermés sans points intérieurs, et appliquer le théorème de Baire]. Montrer que la complétion de $\bar{k}_w$ est un corps algébriquement clos.

2) Définir les $P^i(k, A)$ pour i négatif. Montrer que le système des $\{P^i(k, A)\}_{i \in \mathbb{Z}}$ forme un foncteur cohomologique en A.

6.2. Le théorème de propreté.

Les groupes $P^i(k, A)$ définis au n° précédent peuvent être munis de façon naturelle d'une topologie de groupe localement compact (cas particulier de la notion de "somme directe locale" due à Braconnier) : on prend comme base de voisinages de 0 les sous-groupes $\prod_{v \notin T} H^i_{nr}(k_v, A)$, où T parcourt l'ensemble des parties finies de V contenant S. Pour $P^0(k, A) = \prod H^0(k_v, A)$, on trouve la topologie produit, qui fait de $P^0(k, A)$ un groupe compact. Pour $P^1(k, A) = \prod H^1(k_v, A)$ on trouve une certaine topologie de groupe localement compact ; pour $P^2(k, A) = \coprod H^2(k_v, A)$, on trouve la topologie <u>discrète</u>.

THÉORÈME 7. <u>L'homomorphisme canonique</u>

$$f_i : H^i(k, A) \longrightarrow P^i(k, A)$$

<u>est une application propre, lorsqu'on munit</u> $H^i(k, A)$ <u>de la topologie discrète, et</u> $P^i(k, A)$ <u>de la topologie définie ci-dessus</u>.

Nous ne démontrerons ce théorème que pour $i = 1$. Le cas $i = 0$ est trivial, et le cas $i \geq 2$ résulte des théorèmes plus précis de Tate et Poitou qui seront énoncés au n° suivant.

Soit T une partie finie de V contenant S, et soit $P^1_T(k, A)$ le sous-groupe de $P^1(k, A)$ formé des éléments (x_v) tels que $x_v \in H^1_{nr}(k_v, A)$ pour tout $v \notin T$. Il est clair que $P^1_T(k, A)$ est compact, et que réciproquement tout sous-ensemble compact de $P^1(k, A)$ est contenu dans l'un des $P^1_T(k, A)$. Il nous suffira donc de prouver que l'image réciproque X_T de $P^1_T(k, A)$ dans $H^1(k, A)$ est <u>finie</u>. Par définition, un élément $x \in H^1(k, A)$ appartient à X_T si et seulement si il est "non ramifié en dehors de T". Désignons, comme ci-dessus, par K/k une extension galoisienne finie de k telle que G_K opère trivialement sur A, et soit T' l'ensemble des places de K prolongeant les places de T. On voit facilement que l'image de X_T dans $H^1(K, A)$ est formée d'éléments non ramifiés en dehors de T' ; comme le noyau de $H^1(k, A) \longrightarrow H^1(K, A)$ est fini, on est donc ramené à montrer que ces éléments sont en nombre fini. Ainsi (quitte à remplacer k par K), <u>on peut supposer que</u> G_k <u>opère trivialement</u> sur A. On a alors $H^1(k, A) = \mathrm{Hom}(G_k, A)$. Si $\varphi \in \mathrm{Hom}(G_k, A)$, désignons par $k(\varphi)$ l'extension de k correspondant au noyau de φ ; c'est une extension abélienne, et φ définit un isomorphisme du groupe de Galois $G(k(\varphi)/k)$ sur un sous-groupe de A. Dire que φ est non ramifié en dehors de T signifie que l'extension $k(\varphi)/k$ est non ramifiée en dehors de T.

Comme les extensions $k(\varphi)$ sont de degré borné, le théorème de finitude que nous voulons démontrer est une conséquence du résultat plus précis suivant :

LEMME 6. *Soit* k *un corps de nombres algébriques, soit* r *un entier, et soit* T *un ensemble fini de places de* k. *Il n'existe qu'un nombre fini d'extensions de degré* r *de* k *qui soient non ramifiées en dehors de* T.

On se ramène tout de suite au cas où $k = \mathbb{Q}$. Si E est une extension de $\mathbb{Q}$ de degré r non ramifiée en dehors de T, le discriminant d de E sur $\mathbb{Q}$ n'est divisible que par des nombres premiers p appartenant à T. De plus, l'exposant de p dans d est borné (cela résulte, par exemple, du fait qu'il n'existe qu'un nombre fini d'extensions du corps local $\mathbb{Q}_p$ qui soient de degré $\leqslant r$, cf. Chap.III, n°4.2). Les discriminants d possibles sont donc en nombre fini. Comme il n'existe qu'un nombre fini de corps de nombres ayant un discriminant donné (théorème d'Hermite), cela démontre le lemme.

6.3. Enoncés des théorèmes de Poitou et Tate.

Conservons les notations précédentes, et posons $A' = \mathrm{Hom}(A, \mathbb{G}_m)$. Le théorème de dualité du cas local, joint à la prop.19 du n°5.5, entraîne que $P^0(k, A)$ *est dual de* $P^2(k, A')$ *et* $P^1(k, A)$ *est dual de* $P^1(k, A')$ [il faut faire un peu attention aux places archimédiennes - cela marche, grâce à la convention faite au début du n°6.1].

Les trois théorèmes suivants sont nettement plus difficiles. Nous nous bornerons à les énoncer :

THÉORÈME A. <u>Le noyau de</u> $f_1 : H^1(k, A) \longrightarrow \prod H^1(k_v, A)$ <u>et celui de</u> $f'_2 : H^2(k, A') \longrightarrow \coprod H^2(k_v, A')$ <u>sont en dualité</u>.

On observera que cet énoncé, appliqué au module A', entraîne la finitude du noyau de f_2 ; le cas $i = 2$ du théorème 7 résulte immédiatement de là.

THÉORÈME B. <u>Pour</u> $i \geqslant 3$, <u>l'homomorphisme</u>

$$f_i : H^i(k, A) \longrightarrow \prod H^i(k_v, A)$$

<u>est un isomorphisme</u>.

[Bien entendu, on peut se borner aux places v qui sont réelles, i.e. telles que $k_v = \mathbb{R}$.]

THÉORÈME C. <u>On a une suite exacte</u> :

$$\begin{array}{ccccccccc}
0 \longrightarrow & H^0(k, A) & \longrightarrow & \prod H^0(k_v, A) & \longrightarrow & H^2(k, A')^* & \longrightarrow & H^1(k, A) & \\
& \text{(fini)} & & \text{(compact)} & & \text{(compact)} & & \text{(discret)} & \searrow \\
& & & & & & & & \prod H^1(k_v, A) \\
& & & & & & & & \text{(loc.comp.)} \\
& & & & & & & & \swarrow \\
0 \longleftarrow & H^0(k, A')^* & \longleftarrow & \coprod H^2(k_v, A) & \longleftarrow & H^2(k, A) & \longleftarrow & H^1(k, A')^* & \\
& \text{(fini)} & & \text{(discret)} & & \text{(discret)} & & \text{(compact)} &
\end{array}$$

<u>Tous les homomorphismes qui figurent dans cette suite sont continus</u>.

(On a noté G^* le dual - au sens de Pontrjagin - du groupe localement compact G.)

Ces théorèmes sont énoncés dans l'exposé de Tate à Stockholm, avec de brèves indications sur les démonstrations. D'autres démonstrations. dues à Poitou, se trouvent dans le séminaire de Lille de 1963.

Indications bibliographiques sur le Chapitre II

La situation est tout à fait analogue à celle du Chapitre I : presque tous les résultats sont dus à Tate. La seule publication de Tate à ce sujet est son exposé à Stockholm, qui contient une foule de résultats (beaucoup plus qu'il n'a été possible d'exposer ici), mais très peu de démonstrations. Heureusement, les démonstrations du cas local ont été rédigées par Lang (notes polycopiées) ; d'autres se trouvent dans l'exposé de Douady au séminaire Bourbaki.

Mentionnons également :

1) L'intérêt de la notion de "dimension cohomologique" (pour le groupe de Galois G_k d'un corps k) a été signalé pour la première fois par Grothendieck, à propos de son étude de la "cohomologie de Weil". La proposition 11 du n°4.2 lui est due.

2) Poitou a obtenu les résultats du § 6 à peu près en même temps que Tate. Il a exposé ses démonstrations (qui semblent différentes de celles de Tate) dans le séminaire de Lille (1963).

3) Poitou et Tate ont été tous deux influencés par les résultats de Cassels, relatifs à la cohomologie galoisienne des courbes elliptiques (voir l'exposé de Cassels au congrès de Stockholm).

Chapitre III

COHOMOLOGIE GALOISIENNE NON COMMUTATIVE

Convention. A partir du § 2, tous les corps considérés sont supposés parfaits.

§ 1. Formes

Ce paragraphe est consacré à l'illustration d'un "principe" général, qui s'énonce approximativement ainsi :

Soit K/k une extension de corps, et soit X un "objet" défini sur k. Nous dirons qu'un objet Y, défini sur k, est une K/k-forme de X si Y devient isomorphe à X lorsqu'on étend le corps de base à K. Les classes de telles formes (pour la relation d'équivalence définie par les k-isomorphismes) forment un ensemble $E(K/k, X)$.

Si K/k est galoisienne, on peut établir une correspondance bijective entre $E(K/k, X)$ et $H^1(G(K/k), A(K))$ où $A(K)$ désigne le groupe des K-automorphismes de X.

Il serait évidemment possible de justifier cet énoncé en définissant axiomatiquement la notion d' "objet défini sur k" , celle d' "extension des scalaires", et en leur imposant certaines propriétés simples. Je ne m'aventurerai pas jusque là, et je me bornerai à traiter deux cas particuliers : celui des espaces vectoriels munis de tenseurs, et celui des variétés algébriques (ou des groupes algébriques). Le lecteur que le cas général intéresse pourra se reporter à l'exposé VI du séminaire Grothendieck de 1961, intitulé "Catégories fibrées et descente" .

1.1. Tenseurs.

Cet exemple est discuté en détail dans [CL], Chap. X, § 2. Résumons-le rapidement :

L' "objet" est un couple (V,x), où V est un k-espace vectoriel de dimension finie, et x un tenseur sur V d'un type (p,q) fixé. On a donc $x \in T^p_q(V) = T^p(V) \otimes T^q(V^*)$. La notion de k-isomorphisme de deux objets (V,x) et (V',x') est claire. Si K est une extension de k, et si (V,x) est un objet défini sur k, on obtient un objet (V_K,x_K) défini sur K en prenant pour V_K l'espace vectoriel $V \otimes_k K$ et pour x_K l'élément $x \otimes 1$ de $T^p_q(V_K) = T^p_q(V) \otimes_k K$. Cela définit sans ambiguïté la notion de K/k-<u>forme</u> de (V,x) ; nous noterons $E(K/k)$ l'ensemble de ces formes (à isomorphisme près). Supposons d'autre part que K/k soit galoisienne, et soit $A(K)$ le groupe des K-automorphismes de (V_K, x_K) ; si $s \in G(K/k)$ et $f \in A(K)$, on définit ${}^sf \in A(K)$ par la formule :

$${}^sf = (1 \otimes s) \circ f \circ (1 \otimes s^{-1}) .$$

[Si f est représenté par une matrice (a_{ij}), ${}^sf$ est représenté par la matrice $({}^sa_{ij})$.] On définit ainsi une structure de $G(K/k)$-groupe sur $A(K)$, et l'ensemble $H^1(G(K/k), A(K))$ est bien défini.

Soit maintenant (V',x') une K/k-forme de (V,x). L'ensemble P des isomorphismes de (V'_K, x'_K) sur (V_K,x_K) est muni de façon évidente d'une structure d'espace homogène principal sur $A(K)$, et définit donc un élément p de $H^1(G(K/k), A(K))$, cf. Chap.I, n°5.2. En faisant correspondre p à (V',x') on obtient une application canonique

$$\theta : E(K/k) \to H^1(G(K/k), A(K)).$$

PROPOSITION 1. L'application Θ définie ci-dessus est bijective.

La démonstration est donnée dans [CL], loc.cit. Indiquons seulement que l'injectivité est triviale, et que la surjectivité résulte du lemme suivant :

LEMME 1. Pour tout entier n, on a $H^1(G(K/k), \underline{\underline{GL}}_n(K)) = 0$.
(Pour $n = 1$ on retrouve le "théorème 90" bien connu.)

Remarque.

Le groupe $A(K)$ est en fait défini pour toute k-algèbre commutative K ; c'est le groupe des K-points d'un certain sous-groupe algébrique A de $\underline{\underline{GL}}(V)$. Du point de vue matriciel, on obtient les équations de A en explicitant la relation $T^p_q(f)x = x$ [il convient de noter que le groupe algébrique A ainsi défini n'est pas nécessairement "simple" sur k (en tant que schéma) - son faisceau structural peut par exemple avoir des éléments nilpotents (cf. n°1.2, exer.2)]. D'après les conventions du Chap. II, § 1, on pourra écrire $H^1(K/k,A)$ à la place de $H^1(G(K/k), A(K))$.

La proposition précédente ne nous permet d'étudier que les extensions galoisiennes. La proposition suivante permet souvent de se ramener à ce cas :

PROPOSITION 2. Soit $\underline{g}$ la sous-algèbre de Lie de $\underline{gl}(V)$ formée des éléments laissant invariant x (au sens infinitésimal - cf. Bourbaki, Alg. de Lie, Chap. I, § 3). Pour que le groupe algébrique A des automorphismes de (V,x) soit simple sur k, il faut et il suffit que sa dimension soit égale à celle de $\underline{g}$. Si cette condition est réalisée toute K/k-forme de (V,x) est aussi une k_s/k-forme.

Soit L l'anneau local de A en l'élément neutre, et soit $\underline{m}$ son idéal maximal. On constate facilement que $\underline{g}$ n'est autre que l'espace tangent à

A en l'élément neutre, autrement dit le dual de $\underline{\underline{m}}/\underline{\underline{m}}^2$.

Comme $\dim(A) = \dim(L)$, on voit que l'égalité $\dim(\underline{\underline{g}}) = \dim(A)$ signifie que L est un anneau local régulier, ou encore que A est simple sur k en l'élément neutre (donc partout, par translation). Cela démontre la première assertion. Soit d'autre part (V',x') une K/k-forme de (V,x), et soit P la k-variété des isomorphismes de (V',x') sur (V,x) [on laisse au lecteur le soin de la définir en forme au moyen d'un foncteur - ou au moyen d'équations explicites] ; le fait que (V',x') et (V,x) soient K-isomorphes montre que $P(K)$ est non vide. On voit alors que $P \otimes_k K$ et $A \otimes_k K$ sont K-isomorphes ; en particulier $P \otimes_k K$ est simple sur K, et il en résulte que P est simple sur k. D'apres ün résultat élémentaire de géométrie algébrique, les points de P à valeurs dans k_s sont denses dans P . L'existence d'au moins un tel point suffit à assurer que (V,x) et (V',x') sont k_s-isomorphes, cqfd.

1.2. Exemples.

a) Prenons pour tenseur x une forme bilinéaire alternée non dégénérée. Le groupe A est le groupe symplectique $\underline{\underline{Sp}}$ attaché à cette forme. D'autre part, la théorie élémentaire des formes alternées montre que toutes les formes de x sont triviales (i.e. isomorphes à x). D'où :

PROPOSITION 3. Pour toute extension galoisienne K/k on a $H^1(K/k, \underline{\underline{Sp}}) = 0$.

b) Supposons la caractéristique différente de 2, et prenons pour x une forme bilinéaire symétrique non dégénérée. Le groupe A est le groupe orthogonal $\underline{\underline{O}}(x)$ défini par x. On en conclut :

PROPOSITION 4. Pour toute extension galoisienne K/k, l'ensemble $H^1(K/k,\underline{\underline{O}}(x))$ est en correspondance bijective avec l'ensemble des formes quadratiques définies sur k qui sont K-équivalentes à x.

Pour $p = 2$, il faut remplacer la forme bilinéaire symétrique par une forme quadratique, ce qui oblige à abandonner le cadre des espaces tensoriels (cf. exercice 2).

c) Prenons pour x un tenseur de type $(1,2)$, ou, ce qui revient au même, une structure d'algèbre sur V. Le groupe A est alors le groupe des automorphismes de cette algèbre, et $\underline{g}$ l'algèbre de Lie de ses dérivations. Lorsque $V = \underline{\underline{M}}_n(k)$ les K/k-formes de V sont simplement les algèbres centrales simples de rang n^2 sur k, neutralisées par K ; le groupe A s'identifie au groupe projectif $\underline{\underline{PGL}}_n(k)$, et l'on obtient ainsi une interprétation de $H^1(K/k, \underline{\underline{PGL}}_n)$ en termes d'algèbres simples, cf. [CL], Chap.X, §5.

Exercices.

1) Montrer que toute dérivation de $\underline{\underline{M}}_n(k)$ est intérieure. Utiliser ce fait, combiné avec la prop.2, pour retrouver le théorème suivant lequel toute algèbre simple centrale admet un corps neutralisant galoisien sur le corps de base.

2) Soit V un espace vectoriel sur un corps de caractéristique 2, soit F une forme quadratique sur V, et soit $\langle a,b\rangle$ la forme bilinéaire associée. Montrer que l'algèbre de Lie $\underline{g}$ du groupe orthogonal $\underline{\underline{O}}(F)$ est formée des endomorphismes u de V tels que $\langle a, u(a)\rangle = 0$ pour tout a. Calculer la dimension de $\underline{g}$ en supposant la forme $\langle a,b\rangle$ non dégénérée (ce qui entraîne $\dim.V \equiv 0 \mod.2$) ; en déduire la simplicité du groupe $\underline{\underline{O}}(F)$ dans ce cas. Ce résultat subsiste-t-il lorsque $\langle a,b\rangle$ est dégénérée ?

1.3. Variétés, groupes algébriques, etc.

Nous prenons maintenant comme objet une variété algébrique (resp. un groupe algébrique, resp. un espace homogène algébrique sur un groupe algébrique). Si V est une telle variété, définie sur un corps k, et si K est une extension de k, on note $A(K)$ le groupe des K-automorphismes de $V \otimes_k K$ (muni éventuellement de sa structure de groupe, resp. d'espace homogène). On définit ainsi un foncteur Aut_V vérifiant les hypothèses du Chap.II, § 1.

Soit maintenant K/k une extension galoisienne de k, et soit V' une K/k-forme de V. L'ensemble P des K-isomorphismes de $V' \otimes_k K$ sur $V \otimes_k K$ est évidemment un espace principal homogène sur le $G(K/k)$-groupe $A(K) = \mathrm{Aut}_V(K)$. On définit ainsi, comme au n°1.1, une application canonique

$$\theta \ : E(K/k, V) \to H^1(K/k, \mathrm{Aut}_V).$$

PROPOSITION 5. L'application θ est injective. Si V est quasi-projective, elle est bijective.

L'injectivité de θ est triviale. Pour établir sa surjectivité (lorsque V est quasi-projective), on applique la méthode de la "descente du corps de base" de Weil. Cela revient simplement à ceci :

Supposons pour simplifier que K/k soit finie, et soit $c = (c_s)$ un 1-cocycle de $G(K/k)$ à valeurs dans $\mathrm{Aut}_V(K)$. En combinant c_s avec les automorphismes $1 \otimes s$ de $V \otimes_k K$, on fait opérer le groupe $G(K/k)$ sur $V \otimes_k K$; la variété quotient :

$$_cV = (V \otimes_k K)/G(K/k)$$

est alors une K/k-forme de V [ce quotient existe du fait que V a été supposée quasi-projective_7. On dit que ${}_cV$ s'obtient <u>en tordant</u> V <u>au moyen du cocycle</u> c (cette terminologie est visiblement compatible avec celle du Chap.I, n°5.3). Il est facile de voir que l'image de ${}_cV$ par Θ est égale à la classe de cohomologie de c ; d'où la surjectivité de Θ .

COROLLAIRE. <u>Si</u> V <u>est un groupe algébrique, l'application</u> Θ <u>est bijective</u>.

On sait en effet que toute variété de groupe est quasi-projective.

Remarques.

1) Il résulte de la prop.5 que deux variétés V et W ayant <u>même foncteurs d'automorphismes</u> ont des K/k-formes qui se correspondent <u>bijectivement</u> (K étant une extension galoisienne de k). Exemples :

algèbres d'octonions	$\Longleftrightarrow$	groupes simples de type $\underline{\underline{G}}_2$
algèbres centrales simples de rang n^2	$\Longleftrightarrow$	variétés de Severi-Brauer de dimension n-1
algèbres semi-simples à involution	$\Longleftrightarrow$	groupes classiques à centre trivial

2) Le foncteur Aut_V <u>n'est pas toujours représentable</u> (dans la catégorie des k-schémas) ; de plus, même s'il est représentable, il se peut que le schéma qui le représente ne soit pas de type fini sur k, c'est-à-dire ne définisse pas un "groupe algébrique" au sens habituel du terme.

§ 2. Corps de dimension $\leqslant 1$.

On rappelle qu'à partir de maintenant le corps de base k est supposé <u>parfait</u>. On réserve le nom de "groupe algébrique" aux schémas en groupes sur k qui sont de <u>type fini</u> et <u>réduits</u> (ce sont essentiellement les "groupes algébriques" de Weil, à cela près que nous ne les supposons pas nécessairement connexes).

Si A est un tel groupe, on écrit $H^1(k, A)$ à la place de $H^1(\bar{k}/k, A)$, $\bar{k}$ désignant une clôture algébrique de k.

2.1. Rappel sur les groupes linéaires.

(Bibliographie : Borel, Annals 1956 - Rosenlicht, Amer.J., 1956 et Annali di Mat. 1957 - Chevalley, Séminaire 1956-58).

Un groupe algébrique L est dit linéaire s'il est isomorphe à un sous-groupe d'un groupe $\underline{\underline{GL}}_n$; il revient au même de dire que la variété algébrique sous-jacente à L est affine.

Un groupe linéaire U est dit unipotent si, lorsqu'on le plonge dans $\underline{\underline{GL}}_n$, tous ses éléments sont unipotents (et cela ne dépend pas du plongement choisi). Pour cela, il faut et il suffit que U admette une suite de composition dont les quotients successifs sont isomorphes au groupe additif $\underline{\underline{G}}_a$ ou au groupe $\underline{\underline{Z}}/p\underline{\underline{Z}}$ (en caractéristique p). Ces groupes sont peu intéressants du point de vue cohomologique :

PROPOSITION 6. Si U est un groupe linéaire unipotent connexe, on a $H^1(k,U) = 0$.

[Cet énoncé ne s'étend pas au cas d'un corps de base imparfait, cf. exercice.]

Cela résulte du fait que $H^1(k, \underline{\underline{G}}_a) = 0$ (Chap.II, Prop.1).

Un groupe linéaire T est appelé un tore s'il est isomorphe (sur $\bar{k}$) à un produit de groupes multiplicatifs. Un tel groupe est déterminé à isomorphisme près par son groupe des caractères $X(T) = \mathrm{Hom}(T, \underline{\underline{G}}_m)$, qui est un $\underline{\underline{Z}}$-module libre de rang fini sur lequel opère continûment $G(\bar{k}/k)$.

Tout groupe linéaire connexe résoluble R possède un plus grand sous-groupe unipotent U, qui est distingué dans G. Le quotient $T = R/U$ est un tore, et R est produit semi-direct de T et de U. (Cette décomposition peut s'effectuer sur le corps de base.)

Tout groupe linéaire L possède un plus grand sous-groupe distingué résoluble connexe R, appelé son radical. Lorsque $R = 0$ et que L est connexe, on dit que L est semi-simple ; dans le cas général, la composante neutre $(L/R)_o$ de L/R est semi-simple. Ainsi, tout groupe linéaire admet une suite de composition dont les quotients successifs sont de l'un des quatre types suivants : $\underline{\underline{G}}_a$, un tore, un groupe fini, un groupe semi-simple.

Un sous-groupe P de L est dit parabolique lorsque L/P est une variété complète ; si P est en outre résoluble et connexe, on dit que P est un sous-groupe de Borel de L . Tout sous-groupe parabolique contient le radical R de L .

Supposons k algébriquement clos, et L connexe. Les sous-groupes de Borel B de L peuvent être caractérisés par l'une des propriétés suivantes :

a) sous-groupe résoluble connexe maximal de L .

b) sous-groupe parabolique minimal de L .

En outre, les sous-groupes de Borel sont conjugués entre eux, et égaux à leurs propres normalisateurs. [On notera que, lorsque k n'est pas algébriquement clos, il peut n'exister aucun sous-groupe de Borel de L qui soit défini sur k - cf. n°2.2.]

Un sous-groupe C d'un groupe linéaire L est appelé un sous-groupe de Cartan s'il est nilpotent et égal à la composante neutre de son normalisateur. Il existe au moins un sous-groupe de Cartan défini sur k , et ces sous-groupes sont conjugués (sur $\bar{k}$, mais pas en général sur k). Lorsque L est semi-simple, les sous-groupes de Cartan ne sont autres que les tores maximaux.

Exercice.

Soit k_o un corps de caractéristique p, et soit $k = k_o((t))$ le corps des séries formelles en une variable sur k_o. C'est un corps imparfait ; lorsque k_o est algébriquement clos, c'est un corps de dimension ≤ 1 (c'est même un corps (C_1), cf. Chap.II, n°3.2).

Soit U le sous-groupe de $\underline{\underline{G}}_a \times \underline{\underline{G}}_a$ formé des couples (y,z) vérifiant l'équation $y^p - y = tz^p$. Montrer que c'est un groupe unipotent connexe de dimension 1, simple sur k (en tant que variété). Déterminer $H^1(k,U)$ et montrer que ce groupe n'est pas réduit à 0 si $p \neq 2$. Montrer que l'on a un résultat analogue en caractéristique 2 en prenant l'équation $y^2 + y = tz^4$.

2.2. Nullité de H^1 pour les groupes linéaires connexes.

THÉORÈME 1. Soit k un corps. Les quatre propriétés suivantes sont équivalentes :

(i) $H^1(k,L) = 0$ pour tout groupe algébrique linéaire L connexe.

(i') $H^1(k,L) = 0$ pour tout groupe algébrique semi-simple L.

(ii) Tout groupe algébrique linéaire L contient un sous-groupe de Borel défini sur k.

(ii') Tout groupe algébrique semi-simple L contient un sous-groupe de Borel défini sur k.

De plus, ces propriétés entraînent que $\dim(k) \leq 1$ (cf. Chap.II, § 3).

(On rappelle que tous les corps considérés sont supposés parfaits.)

On procède par étapes :

(1) (ii) $\Longleftrightarrow$ (ii'). C'est trivial.

(2) (ii') $\Longrightarrow$ $\dim(k) \leq 1$. Soit en effet D un corps gauche de centre

une extension finie k' de k. Les éléments de D de norme réduite 1 sont les points rationnels sur k d'un groupe algébrique $\underline{\underline{SL}}(D)$, qui est semi-simple. Si $D \neq k'$, ce groupe est $\neq \{1\}$, et si (ii') est vérifié, il contient un sous-groupe de Borel défini sur k, donc au moins un élément unipotent $\neq 1$, ce qui est visiblement absurde. On a donc $D = k'$, ce qui montre bien que $\dim(k) \leq 1$.

(3) (i') $\Longrightarrow \dim(k) \leq 1$. Soit k une extension finie de k. Si L est un groupe algébrique défini sur K, on définit (cf. Weil, Adeles and algebraic groups, p.4) le groupe algébrique $R_{K/k}(L)$, qui est défini sur k [les points de ce groupe dans $\bar{k}$ forment ce qui a été appelé au Chap.I, n°5.8, le "module induit" de $L(\bar{k})$]. On a

$$H^1(K, L) = H^1(k, R_{K/k}(L)).$$

Si L est semi-simple, $R_{K/k}(L)$ l'est aussi, et l'on a donc $H^1(K,L) = 0$, vu l'hypothèse (i'). Appliquant ceci au groupe $\underline{\underline{PGL}}_n$ (n arbitraire) on en conclut que le groupe de Brauer de K est nul, d'où $\dim(k) \leq 1$.

(4) $\dim(k) \leq 1 \Longrightarrow H^1(k, R) = 0$ lorsque R est résoluble. Le groupe R est extension d'un tore par un groupe unipotent. Comme la cohomologie de ce dernier est nulle, on voit qu'on est ramené au cas où R est un tore, cas qui est traité dans [CL], p.170.

(5) (i) $\Longleftrightarrow$ (i'). L'implication (i) $\Longrightarrow$ (i') est triviale. Supposons (i') vérifié. D'après (3) et (4), on a $H^1(k, R) = 0$ lorsque R est résoluble, d'où (i) en utilisant la suite exacte des H^1.

(6) (i') $\Longleftrightarrow$ (ii'). On s'appuie sur le lemme général suivant :

LEMME 1. *Soient A un groupe algébrique, H un sous-groupe de A, et N le normalisateur de H dans A. Soient c un 1-cocycle de $G(\bar{k}/k)$ à* valeurs dans $A(\bar{k})$, et soit $x \in H^1(k,A)$ la classe de cohomologie correspondante. Soit ${}_cA$ le groupe algébrique obtenu en tordant A au moyen de c (A opérant sur lui-même par automorphismes intérieurs). Les deux conditions suivantes sont alors équivalentes :

(a) x appartient à l'image de $H^1(k, N) \longrightarrow H^1(k, A)$,

(b) Le groupe ${}_cA$ contient un sous-groupe H' défini sur k qui est conjugué de H (sur la clôture algébrique $\bar{k}$ de k).

C'est une simple conséquence de la prop.37 du Chap.I, appliquée à l'injection de N dans A ; il faut simplement remarquer que les points de A/N correspondent bijectivement aux sous-groupes de A conjugués de de H, et même pour ${}_c(A/N)$.

Revenons à la démonstration de (i') $\Longleftrightarrow$ (ii). Si (ii) est vraie, et si on applique le lemme 1 à un sous-groupe de Borel B du groupe semi-simple L , on voit que $H^1(k, B) \longrightarrow H^1(k, L)$ est surjectif. Comme d'après (2) et (4), on a $H^1(k, B) = 0$, il en résulte bien que $H^1(k, L)$ est nul. Inversement, supposons (i') vérifiée, et soit L un groupe semi-simple. On se ramène tout de suite au cas où le centre de L est trivial (le centre étant défini comme sous-schéma en groupes, non nécessairement réduit), ce que l'on exprime en disant que L est un groupe adjoint. D'après Chevalley (cf. aussi séminaire Demazure-Grothendieck, IHES 1962-64) il existe une forme L_d de L qui est déployée, et L se déduit de L_d par torsion au moyen d'une classe $x \in H^1(k, \mathrm{Aut}(L_d))$. Mais la structure du groupe $\mathrm{Aut}(L_d)$ a été déterminée par Chevalley ; c'est le produit semi-direct du groupe L_d par un groupe fini E isomorphe au groupe d'automorphismes du diagramme de Dynkin correspondant.

Tenant compte de l'hypothèse (i') , on voit que $H^1(k, \mathrm{Aut}(L_d))$ s'identifie à $H^1(k, E)$. Mais les éléments de E (identifié à un sous-groupe de $\mathrm{Aut}(L_d)$) conservent un sous-groupe de Borel B de L_d ; si donc N désigne le normalisateur de B dans $\mathrm{Aut}(L_d)$, on voit que

$$H^1(k, N) \longrightarrow H^1(k, \mathrm{Aut}(L_d))$$

est surjectif. En appliquant le lemme 1, on en déduit que L contient un sous-groupe de Borel défini sur k, cqfd.

Remarques.

Les groupes semi-simples possédant des sous-groupes de Borel définis sur k sont dits *quasi-déployés* ; voir là-dessus la conférence de Tits à Stockholm.

THÉORÈME 2. *Lorsque* k *est de caractéristique zéro, les quatre propriétés du théorème* 1 *sont équivalentes aux deux suivantes :*

(iii) *Tout groupe algébrique semi-simple non réduit à l'élément neutre contient un élément unipotent* $\neq 1$.

(iv) *Toute algèbre de Lie semi-simple* $\underline{g} \neq 0$ *contient un élément nilpotent* $\neq 0$.

L'équivalence de (iii) et (iv) résulte de la théorie de Lie. L'implication (ii') $\Longrightarrow$ (iii) est triviale. Pour démontrer l'implication en sens inverse on raisonne par récurrence sur la dimension du groupe semi-simple L. On peut supposer $L \neq 0$. Choisissons un sous-groupe parabolique minimal P de L défini sur k (cf. Godement, sém. Bourbaki, exposé 206), et soit R son radical. Le quotient P/R est semi-simple et ne possède aucun élément unipotent $\neq 1$. Sa dimension est strictement inférieure à celle de L du fait que L possède au moins un élément unipotent $\neq 1$ (Godement, loc.cit., th.9). Vu l'hypothèse de récurrence, on a donc $P = R$, ce qui signifie que P est un sous-groupe de Borel de L.

Remarque.

Il résulte d'un théorème récent de Tits que la condition (iii) est équivalente aux conditions (i),...,(ii') même si la caractéristique de k est $\neq 0$ (k étant toujours supposé parfait).

2.3. Une conjecture.

Elle consiste à affirmer que la réciproque du théorème 1 est vraie. En d'autres termes :

ir S-3

CONJECTURE I. *Si* $\dim(k) \leq 1$, *les propriétés équivalentes* (i),...,(ii') *énoncées dans le théorème* 1 *sont satisfaites.*

Cette conjecture me paraît extrêmement probable. Elle est en tout cas démontrée dans les deux cas suivants :

a) *Lorsque* k *est un corps fini* (Lang).

On a même un résultat plus précis : $H^1(k, G) = 0$ pour tout groupe algébrique connexe G (non nécessairement linéaire). La démonstration est une application simple des propriétés de l'endomorphisme dit "de Frobenius", cf. Lang, Amer.J.of Maths., 78, 1956, p. 555-563.

b) *Lorsque* k *est un corps* (C_1) *de caractéristique zéro* (Springer).

Utilisant le théorème 2, on voit qu'il suffit de montrer l'inexistence d'une algèbre de Lie semi-simple $\underline{g}$, non réduite à 0, dont tous les éléments sont semi-simples ; on peut évidemment supposer que la dimension n de $\underline{g}$

est minimale. Soit r le rang de $\underline{g}$. Si $x \in \underline{g}$, le polynôme caractéristique $\det(T - \mathrm{ad}(x))$ est divisible par T^r ; soit $f_r(x)$ de coefficient de T^r dans ce polynôme. Il est clair que f_r est une fonction polynomiale de degré $n-r$ sur $\underline{g}$. Comme k est (C_1), il s'ensuit qu'il existe $x \neq 0$ dans $\underline{g}$ tel que $f_r(x) = 0$. Soit $\underline{c}$ le centralisateur de x dans $\underline{g}$; comme x est semi-simple, le fait que $f_r(x)$ soit nul signifie que $\dim.\underline{c} > r$; comme $x \neq 0$, on a $\dim.\underline{c} < n$. On sait (cf. Bourbaki, Alg.de Lie, Chap.I, § 6, n°5) que $\underline{c}$ est produit d'une algèbre abélienne par une algèbre semi-simple. Vu l'hypothèse de récurrence, cette dernière est nécessairement réduite à 0 ; donc $\underline{c}$ est commutative, d'où l'inégalité $\dim(\underline{c}) \leqslant r$, et l'on obtient bien une contradiction.

Dans le cas général, où l'on fait seulement l'hypothèse $\dim(k) \leqslant 1$, on peut prouver que l'on a $H^1(k, L) = 0$ lorsque L est un groupe semi-simple classique (ne contenant pas de facteurs de type D_4). La démonstration est facile (cf. Colloque de Bruxelles, p.59-63) ; il est inutile de la reproduire ici. Les groupes exceptionnels G_2, F_4 et E_6 se laissent traiter de manière analogue, du moins lorsque la caractéristique est $\neq 2,3$ (cf. Springer, Colloque de Bruxelles). Tits m'a indiqué un procédé permettant en principe d'attrapper E_7 mais le groupe E_8 résiste. J'espère d'ailleurs que ces vérifications cas par cas se révèleront inutiles, et que l'on trouvera une démonstration *a priori* de la conjecture I.

Exercice.

Soit $\underline{g}$ une algèbre de Lie simple sur un corps k de caractéristique zéro. Soit n (resp. r) la dimension (resp. le rang) de $\underline{g}$. On sait (cf. Kostant, Amer.J.of Maths., 81, 1959, p.1028) que l'ensemble $\underline{\underline{g}}_u$ des éléments nilpotents de $\underline{g}$ est l'ensemble des zéros communs à r polynômes homogènes $I_1, \ldots, I_r$ de degrés $m_1, \ldots, m_r$ tels que

$$m_1 + \ldots + m_r = (n+r)/2.$$

Utiliser ce résultat pour retrouver le fait que $\underline{\underline{g}}_u \neq 0$ lorsque le corps k est (C_1).

2.4. Points rationnels dans les espaces homogènes.

Les résultats et conjectures des n^{os} précédents portent sur le premier ensemble de cohomologie H^1, c'est-à-dire sur les espaces *principaux* homogènes. Le théorème ci-dessous, dû à Springer, permet de passer de là aux espaces homogènes quelconques :

THÉORÈME 3. *Soit* k *un corps de dimension* $\leqslant 1$. *Soit* A *un groupe algébrique et soit* X *un espace homogène (à droite) sur* A. *Il existe alors un espace principal homogène* P *sur* A *et un* A-*homomorphisme* $\pi : P \longrightarrow X$.

(Il va sans dire que A, X, P, π sont supposés définis sur k.)

Avant de donner la démonstration, nous allons expliciter quelques conséquences de ce théorème :

COROLLAIRE 1. *Supposons que* $\dim(k) \leqslant 1$ *et que* $H^1(k, A) = 0$. *Alors tout espace homogène* X *sur* A *a un point rationnel.*

En effet l'espace principal P est nécessairement trivial, donc possède un point rationnel p ; l'image de p par π est un point rationnel de X.

Ce résultat est notamment applicable *lorsque* k *vérifie les conditions* (i),...,(ii') *du théorème* 1, *et que* A *est linéaire connexe.*

COROLLAIRE 2. *Supposons que* $\dim(k) \leqslant 1$, *et soit* $f : A \longrightarrow A'$ *un homomorphisme surjectif de groupes algébriques. L'application correspondante* :

$$H^1(k, A) \longrightarrow H^1(k, A')$$

est surjective.

Soit $x' \in H^1(k, A')$, et soit P' un espace principal homogène sur A' correspondant à x'. En faisant opérer A sur P' au moyen de f, on munit P' d'une structure de A-espace homogène. D'après le théorème 3, il existe un espace principal homogène P sur A admettant un A-homomorphisme $\pi : P \longrightarrow P'$. Soit $x \in H^1(k, A)$ la classe de P. On vérifie immédiatement que l'image de x dans $H^1(k, A')$ est égale à x', cqfd.

COROLLAIRE 3. *Soit* k *un corps vérifiant les conditions* (i),...,(ii') *du théorème* 1, *soit* L *un groupe algébrique linéaire défini sur* k, *et soit* L_o *sa composante neutre. L'application canonique* :

$$H^1(k, L) \longrightarrow H^1(k, L/L_o)$$

est alors bijective.

Le corollaire 2 montre que cette application est surjective. D'autre part, soit c un 1-cocycle de $G(\bar{k}/k)$ à valeurs dans $L(\bar{k})$, et soit ${}_cL_o$ le groupe obtenu en tordant L_o au moyen de c (cela a un sens car L opère sur L_o par automorphismes intérieurs). Le groupe ${}_cL_o$ étant linéaire connexe, on a $H^1(k, {}_cL_o) = 0$, d'après la condition (i). Appliquant la suite exacte de cohomologie non abélienne (cf. Chap.I, n°5.5, cor.2 à la prop.39), on en déduit que $H^1(k, L) \longrightarrow H^1(k, L/L_o)$ est injective, cqfd.

[La cohomologie des groupes linéaires est ainsi entièrement ramenée à celle des groupes <u>finis</u>.]

<u>Démonstration du théorème</u> 3.

Choisissons un point $x \in X(\bar{k})$. Pour tout $s \in G(\bar{k}/k)$, on a ${}^s x \in X(\bar{k})$, et il existe donc $a_s \in A(\bar{k})$ tel que ${}^s x = x.a_s$. On voit facilement que l'on peut supposer que (a_s) dépend continûment de s, autrement dit que c'est une 1-<u>cochaîne du groupe</u> $G(\bar{k}/k)$ <u>à valeurs dans</u> $A(\bar{k})$. <u>Si</u> (a_s) <u>était un cocycle</u>, on pourrait trouver un espace principal P sur A et un point $p \in P(\bar{k})$ tels que ${}^s p = p.a_s$; en posant $\pi(p.a) = x.a$ on définirait alors un A-homomorphisme $\pi : P \to X$ qui répondrait aux conditions voulues. On est donc ramené à démontrer la proposition suivante :

PROPOSITION 7. <u>Sous les hypothèses ci-dessus, on peut choisir la</u> 1-<u>cochaîne</u> (a_s) <u>de telle sorte que ce soit un cocycle</u>.

On va étudier des systèmes $\{H, (a_s)\}$ formés d'un sous-groupe algébrique H de A (défini sur $\bar{k}$) et d'une 1-cochaîne (a_s) de $G(\bar{k}/k)$ à valeurs dans $A(\bar{k})$, ces deux données étant assujetties aux axiomes suivants :

(1) $x.H = x$ (H <u>est contenu dans le stabilisateur de</u> x)

(2) ${}^s x = x.a_s$ <u>pour tout</u> $s \in G(\bar{k}/k)$

(3) <u>Pour tout couple</u> $s,t \in G(\bar{k}/k)$, <u>il existe</u> $h_{s,t} \in H(\bar{k})$ tel que
$$a_s.{}^s a_t = h_{s,t}.a_{st} .$$

(4) $a_s.{}^s H.a_s^{-1} = H$ <u>pour tout</u> $s \in G(\bar{k}/k)$

LEMME 2. <u>Il existe au moins un système</u> $\{H, (a_s)\}$.

On prend pour H le stabilisateur de x, et pour (a_s) n'importe quelle cochaîne vérifiant (2). Comme $x.a_s {}^s a_t = {}^{st} x = x.a_{st}$, on en conclut qu'il existe $h_{s,t} \in H(\bar{k})$ tel que $a_s {}^s a_t = h_{s,t} \cdot a_{st}$, d'où (3). La propriété (4) est immédiate.

On va maintenant choisir un système $\{ H, (a_s) \}$ tel que H soit <u>minimal</u>. Tout revient à prouver que H est alors réduit à l'élément neutre, car l'axiome (3) montrera alors que (a_s) est un <u>cocycle</u>.

LEMME 3. <u>Si</u> H <u>est minimal, la composante neutre</u> H_o <u>de</u> H <u>est un groupe résoluble</u>.

Soit L le plus grand sous-groupe linéaire connexe de H_o. D'après un théorème de Chevalley, L est distingué dans H_o, et le quotient H_o/L est une variété abélienne. Soit B un sous-groupe de Borel de L, et soit N son normalisateur dans H. On va montrer que $N = H$; cela entraînera que B est distingué dans L, donc égal à L, et H_o sera bien un groupe résoluble (extension d'une variété abélienne par B).

Soit $s \in G(\bar{k}/k)$. Il est clair que ${}^sB$ est un sous-groupe de Borel de ${}^sL$, lequel est le plus grand sous-groupe linéaire connexe de ${}^sH_o$. On en conclut que $a_s {}^sB a_s^{-1}$ est un sous-groupe de Borel de $a_s {}^sL a_s^{-1}$, lequel coïncide avec L (puisque c'est le plus grand sous-groupe linéaire connexe de $a_s {}^sH_o a_s^{-1} = H_o$). La conjugaison des sous-groupes de Borel montre donc qu'il existe $h_s \in L$ tel que $h_s a_s {}^sB\, a_s^{-1} h_s^{-1} = B$; on peut évidemment s'arranger pour que h_s dépende continûment de s. Posons alors $a'_s = h_s a_s$. <u>Le système</u> $\{ N , (a'_s) \}$ <u>vérifie les axiomes</u> (1), (2), (3), (4). En effet, c'est évident pour (1) et (2). Pour (3) , définissons $h'_{s,t}$ par la formule :

$$a'_s {}^s a'_t = h'_{s,t} a'_{st}.$$

Un calcul immédiat montre que l'on a :

$$h_s . a_s {}^s h_t a_s^{-1} . h_{s,t} = h'_{s,t} . h_{st} .$$

Comme $a_s {}^s h_t a_s^{-1} \in a_s {}^s H a_s^{-1} = H$, on déduit de cette formule que $h'_{s,t}$ appartient à H. D'autre part, on a par construction $a'_s {}^s B a'^{-1}_s = B$. Il en résulte que les automorphismes intérieurs définis par a'_{st} et $a'_s {}^s a'_t$ transforment tous deux ${}^{st}B$ en B ; l'automorphisme intérieur défini par leur quotient $h'_{s,t}$ transforme donc B en lui-même, ce qui prouve bien que $h'_{s,t}$ appartient à N et démontre (3). Enfin, puisque l'automorphisme intérieur défini par a'_s transforme ${}^s B$ en B, il transforme aussi ${}^s N$ en N, ce qui démontre (4).

Comme H est minimal, on en déduit que $N = H$, ce qui démontre le lemme.

LEMME 4. Si H est minimal, H est résoluble.

Vu le lemme 3, il suffit de prouver que H/H_o est résoluble. Soit P un sous-groupe de Sylow de H/H_o, soit B son image réciproque dans H, et soit N son normalisateur. Le raisonnement du lemme précédent s'applique encore à N (la conjugaison des sous-groupes de Sylow remplaçant celle des sous-groupes de Borel), et l'on en conclut que $N = H$. Ainsi, tout sous-groupe de Sylow de H/H_o est distingué ; le groupe H/H_o est alors produit de ses sous-groupes de Sylow, donc nilpotent, et *a fortiori* résoluble.

LEMME 5. Si $\dim(k) \leqslant 1$, et si H est minimal, H est égal à son groupe des commutateurs.

Soit H' le groupe des commutateurs de H. On va d'abord faire opérer $G(\bar{k}/k)$ sur H/H'. Pour cela, si $h \in H$ et $s \in G(\bar{k}/k)$, posons :

$$^{s\prime}h = a_s {}^s h a_s^{-1} .$$

L'axiome (4) montre que ${}^{s\prime}h$ appartient à H ; si de plus $h \in H'$, on a ${}^{s\prime}h \in H'$. Par passage au quotient, on obtient ainsi un automorphisme $y \longrightarrow {}^{s\prime}y$ de H/H'. En utilisant la formule (3), on voit que l'on a bien ${}^{st\prime}y = {}^{s\prime}({}^{t\prime}y)$, ce qui signifie que H/H' <u>est un</u> $G(\bar{k}/k)$-<u>groupe</u>.

Soit $\bar{h}_{s,t}$ l'image de $h_{s,t}$ dans H/H'. <u>C'est un</u> 2-<u>cocycle</u>. Cela se voit sur l'identité :

$$a_{st}\,{}^{s}a_t^{-1}\,a_s^{-1}\,.\,a_s\,{}^{s}a_t\,{}^{st}a_u\,{}^{s}a_{tu}^{-1}\,a_s^{-1}\,.\,a_s\,{}^{s}a_{tu}\,a_{stu}^{-1}\,.\,a_{stu}\,{}^{st}a_u^{-1}\,a_{st}^{-1} = 1 .$$

qui, par passage à H/H', donne :

$$\bar{h}_{s,t}^{-1}\,.\,{}^{s\prime}\bar{h}_{t,u}\,.\,\bar{h}_{s,tu}\,.\,\bar{h}_{st,u}^{-1} = 1 .$$

Mais la structure des groupes algébriques commutatifs montre que $H/H'(\bar{k})$ possède une suite de composition dont les quotients sont soit de torsion, soit divisibles. Comme $\dim(k) \leqslant 1$, on a donc $H^2(G(\bar{k}/k),\ H/H'(\bar{k})) = 0$, cf. Chap.I,n°3.1. Ainsi le cocycle $(\bar{h}_{s,t})$ est un cobord. On en conclut qu'il existe une 1-cochaîne (h_s) à valeurs dans $H(\bar{k})$ telle que :

$$h_{s,t} = h_s^{-1}\,.\,{}^{s\prime}h_t^{-1}\,.\,h'_{s,t}\,.\,h_{st} \quad , \text{ avec } \quad h'_{s,t} \in H'(\bar{k})$$

On a

$$s^{s\prime}h_t^{-1} = a_s\,{}^{s}h_t^{-1}\,a_s^{-1} \equiv h_s\,a_s\,{}^{s}h_t^{-1}\,a_s^{-1}\,h_s^{-1} \quad \text{mod. } H'(\bar{k}).$$

Quitte à changer $h'_{s,t}$, on peut donc écrire :

$$h_{s,t} = h_s^{-1}\,.\,h_s\,a_s\,{}^{s}h_t^{-1}\,a_s^{-1}\,h_s^{-1}\,.\,h'_{s,t}\,.\,h_{st} .$$

En posant $a'_s = h_s a_s$, la formule précédente devient :

$$a'_s \, {}^s a'_t = h'_{s,t} a'_{st} .$$

Le système $\{H', (a'_s)\}$ vérifie donc les axiomes (1), (2), (3). L'axiome (4) se vérifie également sans difficultes. Comme H est minimal, on en conclut bien que $H = H'$.

Fin de la démonstration.

Si $\{H, (a_s)\}$ est un système minimal, les lemmes 4 et 5 montrent que $H = \{1\}$, donc que (a_s) est un cocycle, ce qui démontre la prop.7, et du même coup le théorème 3.

Exercices.

1) Avec les notations de la démonstration du lemme 5 , montrer qu'il existe sur H/H' une structure de k-groupe algébrique telle que la structure de $G(\bar{k}/k)$-module correspondante sur $H/H'(\bar{k})$ soit celle définie dans le texte.

2) Montrer que le théorème 3 reste valable lorsqu'on remplace l'hypothèse $\dim(k) \leqslant 1$ par la suivante :

Le stabilisateur d'un point de X est un groupe linéaire unipotent.

[On utilisera le fait que $H^2(k, H) = 0$ pour tout groupe commutatif unipotent H.]

3) On suppose que $\dim(k) \leqslant 1$ et que la caractéristique p est $\neq 2$. Soit f une forme quadratique non dégénérée en n variables $(n \geqslant 2)$. Montrer en utilisant le th.3 que, pour toute constante $c \neq 0$, l'équation $f(x) = c$ a une solution dans k. [Observer que le schéma des solutions de

cette équation est un espace homogène sur le groupe orthogonal unimodulaire de f, lequel est connexe.] Retrouver ce résultat par une démonstration directe, utilisant uniquement l'hypothèse que la 2-dimension cohomologique de $G(\bar{k}/k)$ est $\leqslant 1$.

§ 3. Corps de dimension $\leqslant 2$.

3.1. Enoncé des conjectures.

Rappelons qu'un groupe semi-simple L est dit simplement connexe si toute représentation projective de L provient par passage au quotient d'une représentation linéaire de L. Si T est un tore maximal de L, il revient au même de dire que le groupe $X(T)$ des caractères de T coïncide avec le groupe des poids (cf. séminaire Chevalley, 1956-58).

S-3

CONJECTURE II. *Soit k un corps tel que $G(\bar{k}/k)$ soit de dimension cohomologique $\leqslant 2$, et soit L un groupe semi-simple simplement connexe défini sur k. On a $H^1(k, L) = 0$.*

Vu l'ignorance où l'on est de "la bonne" définition des corps de dimension $\leqslant 2$, il y a lieu de formuler également les conjectures suivantes :

CONJECTURE II bis (resp. II' bis). *Même énoncé que la conjecture II, à cela près que l'hypothèse $cd(G(\bar{k}/k)) \leqslant 2$ est remplacée par l'hypothèse (C_2) (resp. (C_2')) du Chap.II, n°4.5.*

Bien entendu, la conjecture II'bis entraîne la conjecture II bis (puisque $(C_2) \Longrightarrow (C_2')$) . On ne connaît aucune implication entre les conjectures II et IIbis.

Remarque.

Il est facile de montrer (en utilisant la suite exacte de cohomologie non abélienne) que la conjecture II entraîne la conjecture I du n°2.3.

3.2. Exemples.

a) Le groupe $\underline{\underline{SL}}(D)$.

Soit D un corps gauche de centre k, et de degré n^2 sur k. Soit $\underline{\underline{G}}_m(D)$ le groupe algébrique sur k dont les points rationnels sur une extension k'/k est égal au groupe des éléments inversibles de $D \otimes_k k'$; c'est une k-forme du groupe $\underline{\underline{GL}}_n$. La norme réduite Nred définit un homomorphisme surjectif

$$\mathrm{Nred} : \underline{\underline{G}}_m(D) \longrightarrow \underline{\underline{G}}_m .$$

Soit $\underline{\underline{SL}}(D)$ le noyau de Nred. C'est une k-forme du groupe $\underline{\underline{SL}}_n$; c'est donc un groupe semi-simple simplement connexe. Sa cohomologie se détermine au moyen de la suite exacte :

$$H^0(k, \underline{\underline{G}}_m(D)) \longrightarrow H^0(k, \underline{\underline{G}}_m) \longrightarrow H^1(k, \underline{\underline{SL}}(D)) \longrightarrow H^1(k, \underline{\underline{G}}_m(D)).$$

Les deux premiers groupes sont respectivement égaux à D* et k*.
On démontre sans difficultés (par la méthode des "séries de Poincaré" par exemple) que $H^1(k, \underline{\underline{G}}_m(D))=0$. On en conclut que $H^1(k, \underline{\underline{SL}}(D))$ est réduit à 0 si et seulement si Nred : D* $\longrightarrow$ k* est surjectif, ce qui est vrai (par définition) si k vérifie la condition (C'_2).

b) Le groupe $\underline{\underline{Spin}}_n$

Soit f une forme quadratique non dégénérée en n variables ; supposons la caractéristique de k différente de 2, et soit $\underline{\underline{SO}}_n$ le groupe orthogonal unimodulaire correspondant. C'est un groupe semi-simple (on suppose $n \geq 3$). Son revêtement universel est le groupe $\underline{\underline{Spin}}_n$ des spineurs. On a la suite exacte :

$$0 \longrightarrow \mu_2 \longrightarrow \underline{\underline{Spin}}_n \longrightarrow \underline{\underline{SO}}_n \longrightarrow 0 \quad \text{avec } \mu_2 = \{\pm 1\}.$$

On en déduit la suite exacte de cohomologie :

$$\underline{\underline{Spin}}_n(k) \longrightarrow \underline{\underline{SO}}_n(k) \xrightarrow{\delta} k^*/k^{*2} \longrightarrow H^1(k, \underline{\underline{Spin}}_n) \longrightarrow H^1(k, \underline{\underline{SO}}_n)$$
$$\xrightarrow{\Delta} H^2(k, \mu_2).$$

Le groupe $H^2(k, \mu_2)$ s'identifie au sous-groupe $Br(k)_2$ du groupe de Brauer $Br(k)$ formé des éléments x tels que $2x = 0$. L'homomorphisme $\delta : \underline{\underline{SO}}_n(k) \longrightarrow k^*/k^{*2}$ est la norme spinorielle ; l'homomorphisme $\Delta : H^1(k, \underline{\underline{SO}}_n) \longrightarrow Br(k)_2$ est directement lié à l'invariant de Witt des formes quadratiques [pour plus de détails, cf. Springer, Proc. Amsterdam, 1959, p. 241 ainsi que Delzant, C.R., 255, 1962, p.1366]. On notera que $H^1(k, \underline{\underline{SO}}_n)$ s'identifie à l'ensemble des classes de formes quadratiques en n variables ayant même discriminant que f. Compte tenu de la suite exacte, on en déduit :

Pour que $H^1(k, \underline{\underline{Spin}}_n)$ soit réduit à 0, il faut et il suffit que les deux conditions suivantes soient satisfaites :

(i) La norme spinorielle $\delta : \underline{\underline{SO}}_n(k) \longrightarrow k^*/k^{*2}$ est surjective.

(ii) Toute forme quadratique de même discriminant et même invariant de Witt que f est équivalente à f.

On peut montrer que ces conditions sont satisfaites lorsque toute forme quadratique à 5 variables sur k représente zéro (cf. Witt, J.Crelle, 176), donc notamment lorsque le corps k vérifie la condition (C_2'). On obtient ainsi un autre cas particulier de la conjecture II'bis.

3.3. Questions voisines.

a) Soit L un groupe semi-simple, et C un sous-groupe de son centre. On a défini au Chap. I n°5.7 une application canonique

$$\Delta : H^1(k, L/C) \longrightarrow H^2(k, C).$$

Cette application est-elle surjective lorsque k vérifie l'une des hypothèses des conjectures II, IIbis, II'bis ? Le cas le plus intéressant est celui où L est simplement connexe, l'application Δ étant alors injective (si les conjectures en question sont vraies).

b) Supposons que k soit un corps p-adique (extension finie de $\mathbb{Q}_p$). Un groupe semi-simple L défini sur k est dit anisotrope s'il ne contient aucun élément unipotent rationnel sur k , à part l'élément neutre. D'après un théorème de Godement, cette condition équivaut à dire que le groupe analytique L(k) est compact . Est-il vrai que tout groupe simple anisotrope est de type (A_n) ? Ici encore, on peut tenter une vérification cas par cas, mais jusqu'à présent le cas de E_8 s'est révélé intraitable.

ir S-3

§ 4. Théorèmes de finitude.

4.1. La condition (F).

PROPOSITION 8. *Soit G un groupe profini. Les trois conditions suivantes sont équivalentes.*

a) *Pour tout entier n, le groupe G n'a qu'un nombre fini de sous-groupes ouverts d'indice n.*

a') *Même énoncé que a), en se bornant aux sous-groupes ouverts distingués.*

b) *Pour tout G-groupe fini A* (cf. Chap. I, n°5.1), *l'ensemble $H^1(G, A)$ est fini.*

Si H est un sous-groupe ouvert de G d'indice n, l'intersection H' des conjugués de H est un sous-groupe ouvert distingué de G d'indice $\leqslant n!$ (en effet le quotient G/H' est isomorphe à un sous-groupe du groupe des permutations de G/H). On déduit facilement de là l'équivalence de a) et a').

Montrons que a) $\Longrightarrow$ b). Soit n l'ordre du G-groupe fini A, et soit H un sous-groupe ouvert distingué de G opérant trivialement sur A. Vu a), les sous-groupes ouverts de H d'indice $\leqslant$ n sont en nombre fini. Leur intersection H' est un sous-groupe ouvert distingué de G. Tout homomorphisme continu $f : H \rightarrow A$ est trivial sur H'. On en conclut que le composé

$$H^1(G, A) \rightarrow H^1(H, A) \rightarrow H^1(H', A)$$

est trivial. Cela entraîne (cf. la suite exacte du Chap. I, n°5.8) que $H^1(G, A)$ s'identifie à $H^1(G/H', A)$, lequel est évidemment fini.

Montrons que b) $\Longrightarrow$ a). Il faut voir que, pour tout entier n, le groupe G ne possède qu'un nombre fini d'homomorphismes dans le groupe symétrique S_n de n lettres. Cela résulte immédiatement de la finitude de $H^1(G, S_n)$, le groupe G opérant trivialement sur S_n.

Tout groupe profini G vérifiant les conditions de la prop. 8 sera dit "de type (F) ".

PROPOSITION 9. <u>Tout groupe profini</u> G <u>qui peut être topologiquement engendré par un nombre fini d'éléments est de type</u> (F).

En effet, il est clair que les homomorphismes de G dans un groupe fini donné sont en nombre fini (puisqu'ils sont déterminés par leurs valeurs sur les générateurs topologiques de G).

COROLLAIRE. <u>Pour qu'un pro-p-groupe soit de type</u> (F) , <u>il faut et il suffit qu'il puisse être topologiquement engendré par un nombre fini d'éléments</u>.

Cela résulte des deux propositions précédentes, combinées avec la prop.25 du Chap.I.

<u>Exercices</u>.

1) Soit G un groupe profini de type (F) , et soit $f : G \to G$ un homomorphisme <u>surjectif</u> de G sur lui-même. Montrer que f est un isomorphisme. [Soit X_n l'ensemble des sous-groupes ouverts de G d'indice donné n. Si $H \in X_n$, on a $f^{-1}(H) \in X_n$, et f définit ainsi une injection $f_n : X_n \to X_n$. Comme X_n est fini, f_n est bijective. On en conclut que le noyau N de f est contenu dans tous les sous-groupes ouverts de G, et il est donc réduit à $\{1\}$.]

2) Soit (N_p) , $p = 2,3,5,\ldots$. une famille non bornée d'entiers ≥ 0, indexée par les nombres premiers. Soit G_p la puissance N_p-ème du groupe $\underline{Z}_p$ et soit G le produit de tous les G_p . Montrer que G est de type (F) ,, bien qu'il ne puisse pas être topologiquement engendré par un nombre fini d'éléments.

4.2. Corps de type (F) . Soit k un corps . Nous dirons que k est de type (F) si k est parfait et si le groupe de Galois $G(\bar{k}/k)$ est de type (F) au sens précédent. Cette dernière condition revient à dire que, pour tout entier n, il n'existe qu'un nombre fini de sous-extensions de $\bar{k}$ (resp. de sous-extensions galoisiennes) qui soient de degré n sur k .

Exemples de corps de type (F).

a) Le corps $\mathbb{R}$ des nombres réels.

b) Un corps fini. [En effet, un tel corps admet une seule extension de degré donné - d'ailleurs son groupe de Galois est $\hat{\mathbb{Z}}$ et peut donc être topologiquement engendré par un seul élément.]

c) Le corps $C((T))$ des séries formelles en une variable sur un corps algébriquement clos C de caractéristique zéro. [Même argument que dans le cas précédent, en remarquant que les seules extensions de $C((T))$ sont les corps $C((T^{1/n}))$, d'après le théorème de Puiseux (cf. [CL],p.76).]

d) Un corps p-adique (autrement dit une extension finie de $\mathbb{Q}_p$). C'est là un résultat bien connu. On peut par exemple le démontrer de la manière suivante : toute extension finie de k s'obtient en faisant d'abord une extension non ramifiée, puis une extension totalement ramifiée. Comme il n'y a qu'une seule extension non ramifiée d'un degré donné, on est ramené au cas totalement ramifié. Or une telle extension est donnée par une "équation d'Eisenstein" $T^n + a_1T^{n-1} + \dots + a_n = 0$, où les a_i sont des entiers de k, et où a_n est une uniformisante. L'ensemble de ces équations forme un espace compact pour la topologie de la convergence des coefficients ; d'autre part, on sait que deux équations voisines définissent des extensions isomorphes (c'est une conséquence du "lemme de Krasner" , cf. par exemple [CL], p.40, exercices 1 et 2). D'où la finitude cherchée.

[On a en fait des résultats beaucoup plus précis:

i) Krasner a calculé explicitement le nombre d'extensions de degré n d'un corps k donné (C.R. 1962 et Coll.Clermont, 1964).

ii) Iwasawa (Trans. AMS, 80, 1955) a montré que le groupe $G(\bar{k}/k)$ peut être topologiquement engendré par un nombre fini d'éléments (le résultat n'est pas mentionné explicitement, mais c'est une conséquence facile du th.3, p.468). La détermination des relations entre ces générateurs a été faite par Jakovlev (Izv., 32, 1968).]

__Exercice.__

Soit k un corps parfait. On suppose que, pour tout entier $n \geq 1$ et toute extension finie K de k, le quotient K^*/K^{*n} est fini. Montrer que k ne possède qu'un nombre fini d'extensions galoisiennes __résolubles__ de degré donné premier à la caractéristique de k . Application au cas p-adique ?

4.3. __Finitude de la cohomologie des groupes linéaires.__

THÉORÈME 4. __Soit__ k __un corps de type__ (F), __et soit__ L __un groupe algébrique linéaire défini sur__ k. __L'ensemble__ $H^1(k, L)$ __est fini.__

On procède par étapes :

(i) Le groupe L est __fini__ (i.e. de dimension zéro).

L'ensemble $L(\bar{k})$ des points de L rationnels sur $\bar{k}$ est alors un $G(\bar{k}/k)$-groupe fini, et on peut lui appliquer la prop.8. D'où la finitude de $H^1(k, L) = H^1(G(\bar{k}/k), L(\bar{k}))$.

(ii) Le groupe L est __résoluble connexe.__

En appliquant le cor.3 de la prop.39 du Chap.I, on se ramène au cas où L est unipotent et au cas où L est un tore. Dans le premier cas, on a $H^1(k, L) = 0$, cf. prop.6. Supposons donc que L soit un tore. Il existe alors une extension galoisienne finie k'/k telle que L soit k'-isomorphe à un produit de groupes multiplicatifs $\underline{\underline{G}}_m$. Comme $H^1(k', \underline{\underline{G}}_m)$ est nul, on en conclut que $H^1(k', L) = 0$, donc que $H^1(k, L)$ s'identifie à $H^1(k'/k, L)$. En particulier, si $n = [k':k]$, on a $nx = 0$ pour tout $x \in H^1(k, L)$. Considérons alors la suite exacte :

$$0 \longrightarrow L_n \longrightarrow L \xrightarrow{n} L \longrightarrow 0 ,$$

et la suite exacte de cohomologie qui lui est associée. On voit que $H^1(k, L_n)$ s'applique sur le noyau de $H^1(k, L) \xrightarrow{n} H^1(k, L)$, c'est-à-dire sur $H^1(k, L)$ tout entier. Comme L_n est fini, le cas (i) montre que $H^1(k, L_n)$ est fini, et il en est de même de $H^1(k, L)$.

(iii) Cas général.

On utilise le résultat suivant, dû à Springer:

LEMME 6. Soit C un sous-groupe de Cartan du groupe linéaire L, et soit N le normalisateur de C dans L. L'application canonique $H^1(k, N) \longrightarrow H^1(k, L)$ est surjective.

(Ce résultat est valable sur tout corps parfait k.)

Soit $x \in H^1(k, L)$, et soit c un cocycle représentant x. Soit ${}_cL$ le groupe obtenu en tordant L au moyen de c. D'après un théorème de Rosenlicht, le groupe ${}_cL$ possède un sous-groupe de Cartan C' défini sur k ; lorsqu'on étend le corps de base à $\bar{k}$, les groupes C et C' sont conjugués. D'après le lemme 1 du n°2.2 il s'ensuit que x appartient à l'image de $H^1(k, N)$ dans $H^1(k, L)$, ce qui démontre le lemme.

Revenons maintenant à la démonstration du théorème 4. Soit C un sous-groupe de Cartan de L, défini sur k, et soit N son normalisateur. D'après le lemme précédent, il suffit de prouver que $H^1(k, N)$ est fini. Or le quotient N/C est fini ; d'après (i), $H^1(k, N/C)$ est fini. D'autre part, pour tout cocycle c à valeurs dans N, le groupe tordu ${}_cC$ est résoluble connexe, et $H^1(k, {}_cC)$ est fini d'après (ii). Appliquant alors le cor.3 de la prop.39 du Chap.I, on en déduit bien que $H^1(k, N)$ est fini, cqfd.

COROLLAIRE. Soit k un corps de type (F).

a) Les k-formes d'un groupe semi-simple défini sur k sont en nombre fini (à isomorphisme près).

b) Il en est de même des k-formes d'un couple (V,x), où V est un espace vectoriel et x un tenseur (cf.n°1.1).

Cela résulte du fait que, dans les deux cas, le groupe d'automorphismes de la structure étudiée est un groupe algébrique linéaire.

Remarques.

1) Si k est un corps de caractéristique zéro et de type (F), on peut montrer que les k-formes de tout groupe algébrique linéaire sont en nombre fini ; il faut pour cela étendre le théorème 4 à certains groupes non algébriques, ceux qui sont extensions d'un groupe discret "de type arithmétique" par un groupe linéaire ; pour plus de détails, cf. Borel-Serre.

2) Soit k_o un corps fini, et soit $k = k_o((T))$. Le théorème 4 ne s'applique pas à k (ne serait-ce que parce que k n'est pas parfait - on peut d'ailleurs montrer que $H^1(k, \mathbb{Z}/p\mathbb{Z})$ est infini). Toutefois, il est probable que $H^1(k, L)$ est fini lorsque L est un groupe réductif, et en particulier un groupe semi-simple.

4.4 Finitude d'orbites.

THÉORÈME 5. *Soit* k *un corps de type* (F), *soit* G *un groupe algébrique défini sur* k, *et soit* V *un espace homogène de* G. *Le quotient de* $V(k)$ *par la relation d'équivalence définie par* $G(k)$ *est fini*.

L'espace V est réunion d'un nombre fini d'orbites de la composante neutre de G ; cela permet de se ramener *au cas où* G *est connexe*. Si $V(k) = \emptyset$, il n'y a rien à démontrer. Sinon, soit $v \in V(k)$ et soit H le stabilisateur de v. L'application canonique $G/H \longrightarrow V$ définit une bijection de $(G/H)(k)$ sur $V(k)$. D'après le cor.1 de la prop.36 du Chap.I, le quotient de $(G/H)(k)$ par $G(k)$ s'identifie au noyau de l'application canonique $\alpha : H^1(k, H) \longrightarrow H^1(k, G)$. Il suffit donc de prouver que cette application est *propre*, i.e. que α^{-1} transforme un ensemble fini en un ensemble fini.

Soit L le plus grand sous-groupe linéaire connexe de G, soit $M = L \cap H$, et soient $A = G/L$, $B = H/M$. D'après le théorème de Chevalley, A est une variété abélienne, et B s'envoie injectivement dans A. On a un diagramme commutatif :

$$\begin{array}{ccc} H^1(k, H) & \xrightarrow{\alpha} & H^1(k, G) \\ \gamma \downarrow & & \downarrow \beta \\ H^1(k, B) & \xrightarrow{\delta} & H^1(k, A) \end{array}$$

Comme M est linéaire, le théorème 4 (combiné à la prop.39 du Chap.I) montre que γ est propre. D'autre part, d'après le théorème de "complète réductibilité" des variétés abéliennes, il existe une variété abélienne B' de même dimension que B et un homomorphisme $A \longrightarrow B'$ tels que le composé $B \longrightarrow A \longrightarrow B'$ soit surjectif ; de plus, B' et $A \longrightarrow B'$ peuvent être définis sur k. Comme le noyau de $B \longrightarrow B'$ est fini, l'argument utilisé ci-dessus montre que le composé $H^1(k, B) \longrightarrow H^1(k, A) \longrightarrow H^1(k, B')$ est propre. Il s'ensuit que δ est propre, donc aussi $\delta \circ \gamma = \beta \circ \alpha$, d'où la propreté de α , cqfd.

COROLLAIRE 1. _Soit_ k _un corps de type_ (F), _et soit_ G _un groupe algébrique linéaire défini sur_ k. _Les tores maximaux_ (resp. les sous-groupes de Cartan) _de_ G _définis sur_ k _forment un nombre fini de classes_ (pour la conjugaison par les éléments de $G(k)$).

Soit T un tore maximal (resp. un sous-groupe de Cartan) de G défini sur k (s'il n'y en a pas, il n'y a rien à démontrer) ; soit H son normalisateur dans G. Comme tous les tores maximaux (resp. ...) sont conjugués sur $\bar{k}$, ils correspondent bijectivement aux points de l'espace homogène G/H; ceux qui sont définis sur k correspondent aux points de G/H rationnels sur k ; d'après le théorème 5 , ils se répartissent en un nombre fini de classes modulo $G(k)$, d'où le résultat cherché.

COROLLAIRE 2. _Soit_ k _un corps de caractéristique zéro de type_ (F), _et soit_ G _un groupe semi-simple défini sur_ k. _Les éléments unipotents de_ $G(k)$ _forment un nombre fini de classes_ (pour la conjugaison par les éléments de $G(k)$).

Même démonstration que le cor.1, en utilisant le fait(démontré par Kostant) que les éléments unipotents de $G(\bar{k})$ se répartissent en un nombre fini de classes.

Exercices.

(On désigne par k un corps parfait de type (F).)

1. Soit $f : G \longrightarrow G'$ un homomorphisme de groupes algébriques. On suppose que le noyau de f est un groupe linéaire. Montrer que l'application correspondante : $H^1(k, G) \longrightarrow H^1(k, G')$ est propre.

2. Soit G un groupe algébrique, et soit K une extension finie de k. Montrer que l'application $H^1(k, G) \longrightarrow H^1(K, G)$ est propre. [Appliquer l'exercice 1 au groupe $G' = R_{K/k}(G)$.]

4.5. Le cas réel.

Les résultats des n^{os} précédents s'appliquent bien entendu au corps $\mathbf{R}$. Certains peuvent d'ailleurs s'obtenir de façon plus simple par des arguments topologiques. Ainsi par exemple le théorème 5 résulte du fait (démontré par Whitney) que toute variété algébrique réelle n'a qu'un nombre fini de composantes connexes.

Nous allons voir que, pour certains groupes, on peut aller plus loin et déterminer explicitement H^1 :

Partons d'un groupe de Lie compact K. Soit R l'algèbre des fonctions continues sur K qui sont combinaisons linéaires de coefficients de représentations matricielles (complexes) de K. Si R_o désigne la sous-algèbre des fonctions réelles de R, on a $R = R_o \otimes_{\mathbf{R}} \mathbf{C}$. On sait (cf. par exemple Chevalley, Lie Groups, Chap. VI) que R_o est l'algèbre affine d'un $\mathbf{R}$-groupe algébrique L. Le groupe $L(\mathbf{R})$ des points réels de L s'identifie à K ; le groupe $L(\mathbf{C})$ est appelé le complexifié de K. Le groupe de Galois $g = G(\mathbf{C}/\mathbf{R})$ opère bien entendu sur $L(\mathbf{C})$.

THÉORÈME 6. <u>L'application canonique</u> $\varepsilon : H^1(\underline{g}, K) \to H^1(\underline{g}, L(\underline{\underline{C}}))$ <u>est bijective</u>.

(Comme $\underline{g}$ opère trivialement sur K, $H^1(\underline{g}, K)$ est l'ensemble des classes dans K, modulo conjugaison, des éléments x tels que $x^2 = 1$.)

Le groupe $\underline{g}$ opère sur l'algèbre de Lie de $L(\underline{\underline{C}})$; les éléments invariants forment l'algèbre de Lie $\underline{k}$ de K, et les éléments anti-invariants forment un supplémentaire $\underline{p}$ de $\underline{k}$. L'exponentielle définit un isomorphisme analytique réel de $\underline{p}$ sur une sous-variété fermée P de $L(\underline{\underline{C}})$; il est clair que $xPx^{-1} = P$ pour tout $x \in K$; de plus (Chevalley, <u>loc. cit.</u>) tout élément $z \in L(\underline{\underline{C}})$ s'écrit de manière unique sous la forme $z = xp$, avec $x \in K$ et $p \in P$.

Ces résultats étant rappelés, montrons que ε est <u>surjectif</u>. Un 1-cocycle de $\underline{g}$ dans $L(\underline{\underline{C}})$ s'identifie à un élément $z \in L(\underline{\underline{C}})$ tel que $z\bar{z} = 1$. Si l'on écrit z sous la forme xp, avec $x \in K$ et $p \in P$, on trouve $xpxp^{-1} = 1$ (car $\bar{p} = p^{-1}$), d'où $p = x^2.x^{-1}px$. Mais $x^{-1}px$ appartient à P, et l'unicité de la décomposition $L(\underline{\underline{C}}) = K.P$ montre que $x^2 = 1$ et $x^{-1}px = p$. Si P_x est la partie de P formée des éléments commutant à x, on voit facilement que P_x est l'exponentielle d'un sous-espace vectoriel de $\underline{p}$. On en conclut que l'on peut écrire p sous la forme $p = q^2$, avec $q \in P_x$. On en tire $z = qxq$ et comme $\bar{q} = q^{-1}$, on voit que le cocycle z est cohomologue au cocycle x, qui est à valeurs dans K.

Montrons maintenant que $H^1(\underline{g}, K) \to H^1(\underline{g}, L(\underline{\underline{C}}))$ est <u>injectif</u>. Soient $x \in K$ et $x' \in K$ deux éléments tels que $x^2 = 1$, $x'^2 = 1$, et supposons qu'ils soient cohomologues dans $L(\underline{\underline{C}})$, c'est-à-dire qu'il existe $z \in L(\underline{\underline{C}})$ tel que $x' = z^{-1}x\bar{z}$. Ecrivons z sous la forme $z = yp$, avec $y \in K$ et $p \in P$.

On a :

$$x' = p^{-1}y^{-1}xyp^{-1} \quad , \text{ d'où } \quad x'.x'^{-1}px' = y^{-1}xy.p^{-1} \quad .$$

Appliquant à nouveau l'unicité de la décomposition $L(\underline{\underline{C}}) = K.P$, on en tire $x' = y^{-1}xy$, ce qui signifie que x et x' sont conjugués dans K, et achève la démonstration.

Exemples.

(a) Supposons que K soit connexe, et soit T l'un de ses tores maximaux. Soit T_2 l'ensemble des $t \in T$ tels que $t^2 = 1$. On sait que tout élément $x \in K$ tel que $x^2 = 1$ est conjugué d'un élément $t \in T_2$; de plus, deux éléments t, t' de T_2 sont conjugués dans K si et seulement si ils sont transformés l'un et l'autre par un élément du groupe de Weyl W de K. Il résulte donc du théorème 6 que $H^1(\underline{\underline{R}}, L) = H^1(\underline{g}, L(\underline{\underline{C}}))$ s'identifie à l'ensemble quotient T_2/W.

(b) Prenons pour K le groupe des automorphismes d'un groupe compact semi-simple connexe S. Soit A (resp. L) le groupe algébrique associé à K (resp. à S). Il est classique que A est le groupe des automorphismes de L. Les éléments de $H^1(\underline{\underline{R}}, A)$ correspondent donc aux formes réelles du groupe L, et le théorème 6 redonne la classification de ces formes au moyen des classes d' "involutions" de S (résultat dû à Elie Cartan).

4.6. Corps de nombres algébriques (théorème de Borel).

Soit k un corps de nombres algébriques. Il est clair que k n'est pas de type (F). On a toutefois le théorème de finitude suivant :

THÉORÈME 7. Soit L un groupe algébrique linéaire défini sur k, et soit S un ensemble fini de places de k. L'application canonique

$$\omega_S : H^1(k, L) \longrightarrow \prod_{v \notin S} H^1(k_v, L)$$

est propre.

Puisque les $H^1(k_v, L)$ sont finis (cf. théorème 4), on peut modifier S à volonté, et en particulier supposer que $S = \emptyset$ (auquel cas on écrit ω au lieu de ω_S). De plus, quitte à tordre L, on est ramené à montrer que le noyau de ω est fini ; en d'autres termes :

THÉORÈME 7'. Les éléments de $H^1(k, L)$ qui sont nuls localement sont en nombre fini.

Sous cette forme, le théorème a été démontré par Borel lorsque L est réductif connexe (Publ. Math. IHES, n°16, p.25) - voir aussi l'exposé de Godement au séminaire Bourbaki en juin 1963. Le cas d'un groupe linéaire connexe se ramène immédiatement au précédent. Il est moins facile de se débarrasser de l'hypothèse de connexion ; je renvoie pour cela à l'article de Borel-Serre déjà cité.

4.7. Un contre-exemple au "principe de Hasse".

Conservons les notations du n°4.6. Il existe des exemples importants où l'application

$$\omega : H^1(k, L) \longrightarrow \prod_{v} H^1(k_v, L)$$

est injective ; c'est notamment le cas lorsque L est un groupe projectif ou un groupe orthogonal. On pouvait se demander si ce "principe de Hasse" s'étendait à tous les groupes semi-simples. Nous allons voir qu'il n'en est rien.

LEMME 7. <u>Il existe un</u> $G(\bar{k}/k)$-<u>module fini</u> A <u>tel que l'application canonique de</u> $H^1(k, A)$ <u>dans</u> $\prod_v H^1(k_v, A)$ <u>ne soit pas injective</u>.

On commence par choisir une extension galoisienne finie K/k dont le groupe de Galois G jouisse de la propriété suivante :

<u>Le ppcm des ordres des groupes de décomposition des places</u> v <u>de</u> k <u>est strictement inférieur à l'ordre</u> n <u>de</u> G.

[Exemple : $k = \mathbb{Q}$, $K = \mathbb{Q}(\sqrt{13}, \sqrt{17})$; le groupe G est de type $(2, 2)$ et ses sous-groupes de décomposition sont cycliques d'ordre 2 ou réduits à l'élément neutre. Des exemples analogues existent sur tout corps de nombres.]

Soit $E = \mathbb{Z}/n\mathbb{Z}[G]$ l'algèbre du groupe G sur l'anneau $\mathbb{Z}/n\mathbb{Z}$, et soit A le noyau de l'homomorphisme d'augmentation $E \longrightarrow \mathbb{Z}/n\mathbb{Z}$. Comme la cohomologie de E est triviale, la suite exacte de cohomologie montre que $H^1(G, A) = \mathbb{Z}/n\mathbb{Z}$. Soit x un générateur de $H^1(G, A)$, soit q le ppcm des ordres des groupes de décomposition G_v, et soit $y = qx$. On a évidemment $y \neq 0$; d'autre part, puisque tout élément de $H^1(G_v, A)$ est annulé par q, l'image de y dans les $H^1(G_v, A)$ est nulle. Comme $H^1(G, A)$ s'identifie à un sous-groupe de $H^1(k, A)$, on a bien construit un élément non nul $y \in H^1(k, A)$ dont toutes les images locales sont nulles.

LEMME 8. <u>Il existe un</u> $G(\bar{k}/k)$-<u>module fini</u> B <u>tel que l'application canonique de</u> $H^2(k, B)$ <u>dans</u> $\prod_v H^2(k_v, B)$ <u>ne soit pas injective</u>.

C'est nettement moins trivial. On peut procéder de deux façons :

(1) On commence par construire un $G(\bar{k}/k)$-module fini A vérifiant la condition du lemme 7. On pose ensuite

$$B = A' = \mathrm{Hom}(A, \bar{k}^*) .$$

D'après le théorème de dualité de Tate, les noyaux des applications

$$H^1(k, A) \longrightarrow \prod_v H^1(k_v, A) \quad \text{et} \quad H^2(k, B) \longrightarrow \prod_v H^2(k_v, B)$$

sont en dualité. Comme le premier est non nul, il en est de même du second.

(2) Construction explicite : On prend pour B une extension :

$$0 \longrightarrow \mu_n \longrightarrow B \longrightarrow \mathbb{Z}/n\mathbb{Z} \longrightarrow 0$$

où μ_n désigne le groupe des racines n-ièmes de l'unité. On choisit B de telle sorte que, du point de vue de sa seule structure de groupe abélien, ce soit la somme directe $\mathbb{Z}/n\mathbb{Z} + \mu_n$; sa structure de $G(\bar{k}/k)$-module est alors déterminée par un élément y du groupe

$$H^1(k, \operatorname{Hom}(\mathbb{Z}/n\mathbb{Z}, \mu_n)) = H^1(k, \mu_n) = k^*/k^{*n} .$$

Comme élément de $H^2(k, B)$, on va prendre l'image canonique $\bar{x}$ d'un élément $x \in H^2(k, \mu_n)$; un tel élément s'identifie à un élément d'ordre divisant n du groupe de Brauer $Br(k)$, et comme tel il est équivalent à la donnée d'<u>invariants locaux</u> $x_v \in (\frac{1}{n}\mathbb{Z})/\mathbb{Z}$ vérifiant les conditions habituelles ($\sum x_v = 0$, $2x_v = 0$ si v est une place réelle, et $x_v = 0$ si v est une place complexe). On veut s'arranger pour que $\bar{x}$ ne soit pas nul, mais soit nul localement. La première condition revient à dire que x n'appartient pas à l'image de $d : H^1(k, \mathbb{Z}/n\mathbb{Z}) \longrightarrow H^2(k, \mu_n)$. Cette application n'est pas difficile à expliciter ; tout d'abord le groupe $H^1(k, \mathbb{Z}/n\mathbb{Z})$ n'est autre que le groupe des homomorphismes $\chi : G(\bar{k}/k) \longrightarrow (\frac{1}{n}\mathbb{Z})/\mathbb{Z}$; d'après la théorie du corps de classes, χ s'identifie à un homomorphisme du groupe des classes d'idèles de k dans $(\frac{1}{n}\mathbb{Z})/\mathbb{Z}$; on notera (χ_v) les composantes locales de χ. On vérifie alors sans difficultés que le cobord $d\chi$ de χ est l'élément de $H^2(k, \mu_n)$ dont les composantes locales $(d\chi)_v$ sont égales à $\chi_v(y)$. La première condition portant sur x est donc la suivante :

(a) <u>Il n'existe pas de caractère</u> $\chi \in H^1(k, \underline{\underline{Z}}/n\underline{\underline{Z}})$ <u>tel que</u> $x_v = \chi_v(y)$ <u>pour tout</u> v.

En exprimant que $\bar{x}$ s'annule localement, on obtient de même :

(b) <u>Pour tout place</u> v , <u>il existe</u> $\varphi_v \in H^1(k_v, \underline{\underline{Z}}/n\underline{\underline{Z}})$ <u>tel que</u> $x_v = \varphi_v(y)$.

Exemple numérique : $k = \underline{\underline{Q}}$, $y = 14$, $n = 8$, $x_v = 0$ pour $v \neq 2,17$ et $x_2 = - x_{17} = \frac{1}{8}$. Il faut vérifier les conditions (a) et (b) :

<u>Vérification de</u> (a) - Supposons que l'on ait un caractère global χ tel que $\chi_v(14) = x_v$. On va examiner la somme $\sum \chi_v(16)$ (qui devrait être nulle, puisque χ s'annule sur les idèle principaux). Il est bien connu que 16 est une puissance 8-ième dans les corps locaux $\underline{\underline{Q}}_p$, $p \neq 2$ (cf. Artin-Tate, <u>Class Field theory</u>, p.96) ; on a donc $\chi_v(16) = 0$ pour $v \neq 2$. D'autre part, on a $14^4 \equiv 16 \bmod. \underline{\underline{Q}}_2^{*8}$ [cela revient à voir que $7^4 \in \underline{\underline{Q}}_2^{*8}$, ce qui résulte du fait que -7 est un carré 2-adique] . On en déduit $\chi_2(16) = 4\chi_2(14) = 1/2$, et la somme des $\chi_v(16)$ n'est pas nulle. C'est la contradiction cherchée.

<u>Vérification de</u> (b) - Pour $v \neq 2, 17$, on prend $\varphi_v = 0$. Pour v=2, on prend le caractère de $\underline{\underline{Q}}_2^*$ défini par la formule $\varphi_2(\alpha) = w(\alpha)/8$, où $w(\alpha)$ désigne la valuation de α ; on a bien $\varphi_2(y) = \varphi_2(14) = 1/8$. Pour $v = 17$, on remarque que le groupe multiplicatif $(\underline{\underline{Z}}/17\underline{\underline{Z}})^*$ est cyclique d'ordre 16, et admet pour générateur $y = 14$ [il suffit de vérifier que $14^8 \equiv -1 \bmod. 17$, or $2^8 \equiv 1 \bmod. 17$, et $7^8 \equiv (-2)^4 \equiv -1 \bmod. 17$]. Il existe donc un caractère φ_{17} du groupe des unités 17-adiques qui est d'ordre 8 et prend la valeur $-1/8$ sur y ; on le prolonge n'importe comment en un caractère d'ordre 8 de $\underline{\underline{Q}}_{17}^*$, et cela achève la vérification de (b).

[Cet exemple numérique m'a été signalé par Tate. Celui que j'avais utilisé primitivement était plus compliqué.]

LEMME 9. Soit B un $G(\bar{k}/k)$-module fini, et soit $x \in H^2(k, B)$. Il existe un groupe semi-simple S défini sur k, dont le centre Z contient B, et qui jouit des deux propriétés suivantes :

(a) L'élément x donné appartient à l'image de $d : H^1(k, Z/B) \longrightarrow H^2(k, B)$.

(b) On a $H^1(k_v, S) = 0$ pour toute place v de k.

Soit n un entier $\geqslant 1$ tel que $nB = 0$. On peut trouver une extension galoisienne finie K/k assez grande pour que les trois conditions suivantes soient réalisées : i) B est un $G(K/k)$-module, ii) l'élément x donné provient d'un élément $x' \in H^2(G(K/k), B)$, iii) le corps K contient les racines n-ièmes de l'unité. Soit $B' = \mathrm{Hom}(B, \mathbb{Q}/\mathbb{Z})$ le dual de B ; on peut évidemment écrire B' comme quotient d'un module libre sur $\mathbb{Z}/n\mathbb{Z}[G(K/k)]$. Par dualité, on en conclut que l'on peut plonger B dans un module Z libre de rang q sur $\mathbb{Z}/n\mathbb{Z}[G(K/k)]$. Du fait que Z est libre, on a $H^2(G(K/k), Z) = 0$ et il existe un élément $y' \in H^1(G(K/k), Z/B)$, tel que $dy' = x'$; l'élément y' définit un élément $y \in H^1(k, Z/B)$, et il est clair que $dy = x$. Tout revient donc à trouver un groupe semi-simple S ayant pour centre Z et vérifiant la condition (b) du lemme.

Pour cela, partons du groupe $L = \mathbf{SL}_n \times \ldots \times \mathbf{SL}_n$ (q facteurs). Si l'on considère L comme un groupe algébrique sur K, son centre est isomorphe à $\mathbb{Z}/n\mathbb{Z} \times \ldots \times \mathbb{Z}/n\mathbb{Z}$ (tous les éléments du centre sont rationnels sur le corps de base puisqu'on a pris la précaution de supposer que K contient les racines n-ièmes de l'unité). Soit S le groupe $R_{K/k}(L)$ obtenu à partir de L par restriction du corps de base de K à k. Le centre de S est isoporphe (comme $G(\bar{k}/k)$-module) à la somme directe de q copies de

$$R_{K/k}(\mathbb{Z}/n\mathbb{Z}) = \mathbb{Z}/n\mathbb{Z}[G(K/k)] ;$$

on peut donc l'identifier au module Z introduit plus haut. Il reste enfin à vérifier la condition (b). Or il est facile de voir que $S \otimes_k k_v$ est isomorphe au produit des groupes $R_{K_w/k_v}(L)$, où w parcourt l'ensemble des places de K prolongeant v (cf. Weil, Adeles and algebraic groups, p.8) ; on a donc bien $H^1(k_v, S) = \prod_{w|v} H^1(K_w, L) = 0$ puisque la cohomologie de $\underline{\underline{SL}}_n$ est triviale.

Nous pouvons maintenant fabriquer le contre-exemple cherché :

THÉORÈME 8. Il existe un groupe algébrique semi-simple G défini sur k et un élément $t \in H^1(k, G)$ tels que :

(a) On a $t \neq 0$

(b) Pour toute place v de k l'image t_v de t dans $H^1(k_v, G)$ est triviale.

D'après le lemme 8, il existe un $G(\bar{k}/k)$-module fini B et un élément $x \in H^2(k, B)$ tel que $x \neq 0$ et que les images locales x_v de x soient toutes nulles. Soit S un groupe semi-simple vérifiant les conditions du lemme 9 par rapport au couple (B,x). D'après ces conditions, le centre Z de S contient B, et il existe un élément $y \in H^1(k, Z/B)$ tel que $dy = x$. Soit G le groupe S/B, et soit t l'image de y dans $H^1(k, G)$. Nous allons voir que le couple (G, t) vérifie les conditions du théorème :

(a) - Soit $\Delta : H^1(k, G) \longrightarrow H^2(k, B)$ l'opérateur de cobord défini par la suite exacte $0 \longrightarrow B \longrightarrow S \longrightarrow G \longrightarrow 0$. Le diagramme commutatif :

$$\begin{array}{ccc} H^1(k, Z/B) & \xrightarrow{d} & H^2(k, B) \\ \downarrow & & \downarrow \text{id.} \\ H^1(k, G) & \xrightarrow{\Delta} & H^2(k, B) \end{array}$$

montre que $\Delta(t) = dy = x$. Comme $x \neq 0$, on a bien $t \neq 0$.

(b) - On utilise la suite exacte :

$$H^1(k_v,\ S) \longrightarrow H^1(k_v,\ G) \longrightarrow H^2(k_v,\ B).$$

Le même argument que ci-dessus montre que $\Delta(t_v) = x_v = 0$; comme $H^1(k_v,\ S) = 0$ (cf. lemme 9) , on a bien $t_v = 0$, cqfd.

Remarques.

1) La construction précédente donne nécessairement des groupes G qui sont "strictement intermédiaires" entre simplement connexe et adjoint. Il se pourrait que le "principe de Hasse" soit vrai dans ces deux cas extrêmes. Dans le cas simplement connexe, on peut même conjecturer l'énoncé suivant :

r S-3

L'application canonique $H^1(k,\ G) \to \prod H^1(k_v,\ G)$ *est bijective (le produit étant étendu aux places* v *telles que* $k_v = \mathbb{R}$).

Cet énoncé a été vérifié pour un certain nombre de groupes classiques, ainsi que pour G_2 et F_4 .

2) T. Ono a utilisé une construction voisine de celle du lemme 9 pour obtenir un groupe semi-simple dont le *nombre de Tamagawa ne soit pas entier*. D'où la question suivante, posée par Borel : y a-t-il une relation entre le nombre de Tamagawa et la validité du principe de Hasse ?

r S-3

Indications bibliographiques sur le Chapitre III

Le contenu du § 1 est "bien connu" mais n'est exposé nulle part de manière satisfaisante - le présent cours inclus.

Les conjectures I et II ont été exposées au Colloque de Bruxelles, en 1962. Les théorèmes 1,2,3 sont dus à Springer ; les deux premiers figurent dans son exposé à Bruxelles, et il m'a communiqué directement la démonstration du théorème 3. D'après Grothendieck (non publié) , on peut démontrer un résultat un peu plus fort, à savoir la nullité des "H^2 non abéliens" sur tout corps de dimension $\leqslant 1$.

Le § 4 est extrait presque sans changements d'un article de Borel-Serre en préparation ; j'ai simplement ajouté la construction d'un contre-exemple au "principe de Hasse".

***

Voici enfin une brève liste de mémoires consacrés aux divers types de groupes semi-simples et contenant (explicitement ou non) des résultats de cohomologie galoisienne :

Groupe orthogonal : E. Witt (Journ. Crelle, 176, 1937) , T. Springer (Proc. Amsterdam, 1959)

Groupes classiques et algèbres à involution : A. Weil (Journ. Indian Soc.H, 1960).

Groupe $\underline{\underline{G}}_2$: Jacobson (Rend. Palermo, 1958).

Groupe $\underline{\underline{F}}_4$: Albert-Jacobson (Annals of Maths., 66, 1957) T.Springer (Proc. Amsterdam, 1960).

Groupe $\underline{\underline{E}}_6$: T. Springer (Colloque de Bruxelles, 1962).

DUALITÉ DANS LA COHOMOLOGIE DES GROUPES PROFINIS

par

Jean-Louis VERDIER

§ 1. Modules induits et co-induits

1.1. DÉFINITIONS. Soient G un groupe profini, V un sous-groupe ouvert,

r E-1 Y un V-module, discret topologique. Le module induit $M_V^G(Y)$ a été défini au chapitre 1, § 2, n°5. Le module co-induit ${}_G^V M(Y)$ est défini par :

$$ {}_G^V M(Y) = \underline{\underline{Z}}(G) \otimes_{\underline{\underline{Z}}(V)} Y \ . $$

C'est un G-module par l'intermédiaire du premier facteur. On vérifie que c'est un G-module discret topologique (c'est le module induit dans la terminologie de [CL]).

Soit X un G-module discret, topologique. Désignant par X° le V-module sous-jacent, on posera $X_V = {}_G^V M(X^\circ)$ et ${}_V X = M_V^G(X^\circ)$. X_V est un foncteur en X. C'est aussi un foncteur co-variant en V .: Si V' est un sous-groupe ouvert de G contenu dans V, on définit de manière évidente une application $X_{V'} \to X_V$. De même ${}_V X$ est un foncteur covariant en X et contravariant en V.

On se propose d'étudier les foncteurs X_V et ${}_V X$.

1.2. PROPOSITION. Le bi-foncteur $(V,X) \rightsquigarrow X_V$ est canoniquement isomorphe au bi-foncteur : $(V,X) \rightsquigarrow \underline{\underline{Z}}(G/V) \otimes_{\underline{\underline{Z}}} X$.

L'opérateur de G sur ce dernier module est :

$$ g : z \otimes x \rightsquigarrow gz \otimes gx \qquad g \in G, \quad x \in X, \quad z \in \underline{\underline{Z}}(G/V) $$

De même le bi-foncteur ${}_V X$ est isomorphe au bi-foncteur :

$$(V,X) \rightsquigarrow \mathrm{Hom}_{\underline{\underline{Z}}}(\underline{\underline{Z}}(G/V),X)$$

où l'opération de G sur ce dernier module est :

$$(ga)(z) = g(a(g^{-1}z)) \qquad a \in \mathrm{Hom}_{\underline{\underline{Z}}}(\underline{\underline{Z}}(G/V),X), \quad z \in \underline{\underline{Z}}(G/V), \ g \in G .$$

Indiquons simplement comment on définit les isomorphismes. Soit g^o la classe, dans G/V, d'un élément de g de G. A tout élément $g \otimes x$ de X_V associons l'élément $g^o \otimes gx$ de $\underline{\underline{Z}}(G/V) \otimes_{\underline{\underline{Z}}} X$. On vérifie qu'on définit ainsi un isomorphisme de X_V sur $\underline{\underline{Z}}(G/V^o \otimes_{\underline{\underline{Z}}} X$, fonctoriel en X et en V. De même, à tout élément a de ${}_V X$ i.e. à toute application continue $a : G \longrightarrow X$ vérifiant

$$a(vg) = va(g) \qquad v \in V, \quad g \in G,$$

associons l'application $\hat{a} : G \longrightarrow X : g \rightsquigarrow ga(g^{-1})$. On vérifie que l'application $\hat{a}$ se factorise par G/V et que par suite elle définit un élément de $\mathrm{Hom}_{\underline{\underline{Z}}}(\underline{\underline{Z}}(G/V),X)$. On vérifie ensuite facilement que l'application ainsi définie est un isomorphisme fonctoriel en X et en V.

Par abus de notation, nous noterons encore X_V et ${}_V X$ les foncteurs $\underline{\underline{Z}}(G/V) \otimes_{\underline{\underline{Z}}} X$ et $\mathrm{Hom}_{\underline{\underline{Z}}}(\underline{\underline{Z}}(G/V),X)$. Les propriétés de ces foncteurs sont résumées dans la proposition suivante :

1.3. PROPOSITION. 1) Il existe des isomorphismes tri-fonctoriels :

$$\mathrm{Hom}_G(X_V,Y) \xrightarrow{\sim} \mathrm{Hom}_G(X,{}_V Y) \xrightarrow{\sim} \mathrm{Hom}_V(X,Y).$$

2) Pour un sous-groupe ouvert V donné, il existe un isomorphisme fonctoriel en X : $i_V : X_V \longrightarrow {}_V X$. Cet isomorphisme ne saurait évidemment pas être fonctoriel en V.

3) Les foncteurs $X \rightsquigarrow X_V$ et $X \rightsquigarrow {}_V X$ sont exacts en X et commutent aux limites inductives et projectives quelconques.

4) Lorsque X est un G-module injectif, les G-modules X_V et ${}_VX$ sont injectifs.

5) Soit V' un sous-groupe ouvert de G, contenant V et normalisant V. V' opère à droite sur $X_V \simeq \underline{\underline{Z}}(G/V) \otimes_{\underline{\underline{Z}}} X$ par l'intermédiaire de V'/V. Cette structure de V'-module à droite est fonctorielle en X. Elle est aussi fonctorielle en V au sens suivant. Soit U un sous-groupe ouvert de G contenu dans V et invariant dans V'. L'application canonique : $X_U \to X_V$ est compatible avec les structures de V'-module.

De même, V' opère à gauche sur ${}_VX = \mathrm{Hom}_{\underline{\underline{Z}}}(\underline{\underline{Z}}(G/V),X)$ par l'intermédiaire de V'/V. Les opérations de V' commutent aux opérations de G. Cette structure de V'-module à gauche est fonctorielle en X et en V.

De plus, si nous transformons le V'-module à droite X_V en un V'-module à gauche en posant :

$$v' * x = xv'^{-1}$$

l'isomorphisme i_V de (2) est un isomorphisme de V'-module.

6) Pour la structure de V'/V-module à droite de X_V , on a :

$$H_i(V'/V,X_V) = 0 \quad \text{pour} \quad i \neq 0 \quad \text{et} \quad H_0(V'/V,X_V) = X_{V'}$$

6)' Pour la structure de V'/V-module à gauche de ${}_VX$, on a :

$$H^i(V'/V,{}_VX) = 0 \quad \text{pour} \quad i \neq 0 \quad \text{et} \quad H^0(V'/V,{}_VX) = {}_{V'}X \ .$$

DÉMONSTRATION. La première assertion est triviale à partir de la deuxième définition des foncteurs X_V et ${}_VX$. L'isomorphisme i_V de la deuxième assertion s'obtient en considérant la base canonique de $\underline{\underline{Z}}(G/V)$. Les propriétés (3) et (4) se déduisent alors formellement des propriétés (1) et (2). La démonstration de (5) n'est qu'une suite de vérifications triviales.

Démontrons les propriétés (6) et (6)'. $\underline{\underline{Z}}(G/V)$ est un V'/V-module à droite induit. Donc X_V et $_VX$ sont des V'/V-modules induits. Reste à voir que $H_0(V'/V, X_V) = X_{V'}$ et que $H^0(V'/V, {}_VX) = {}_{V'}X$ ce qui est évident.

Nous utiliserons les modules induits pour construire des résolutions. De manière précise, soient X un G-module discret, X° le groupe abélien sous-jacent, $K^0(X) = M_G(X^\circ)$ le module induit correspondant, $\varepsilon(X): X \to K^0(X)$ l'injection canonique, $Z^1(X) = \mathrm{coker}\ (\varepsilon(X))$, et $j^1(X) : K^0(X) \longrightarrow Z^1(X)$ le morphisme canonique. Définissons alors par récurrence pour tout entier $i \geqslant 1$:

$$K^i(X) = K^0(Z^i(X)) \qquad \varepsilon^i = \varepsilon(Z^i(X))$$

$$Z^{i+1}(X) = \mathrm{coker}\ (\varepsilon^i) \qquad j^{i+1} = j^1(Z^i(X))$$

$$d^{i-1} = \varepsilon^i \circ j^i$$

On a défini ainsi un complexe $K^*(X)$ fonctoriel en X, et un morphisme fonctoriel :

$$\varepsilon : \mathrm{id} \to K^*$$

faisant de $K^*(X)$ une résolution de X.

1.4. PROPOSITION. K^* est un foncteur covariant, additif, exact, commutant aux limites inductives filtrantes. Pour tout entier positif i et pour tout G-module discret X, le G-module $K^i(X)$ est cohomologiquement trivial (i.e. $cd(G, K^i(X)) = 0$, cf. Chap. 1, Annexe I, p.82).

La dernière assertion est évidente car les $K^i(X)$ sont des modules induits. Pour prouver la première assertion, il suffit de prouver que $K^0(X)$ est un foncteur exact en X et qu'il commute aux limites inductives filtrantes.

Soit :

$$0 \to X' \to X \to X'' \to 0$$

une suite exacte de G-modules discrets. La suite :

$$0 \to X'^{\circ} \to X^{\circ} \to X''^{\circ} \to 0$$

des groupes abéliens sous-jacents, est exacte.

On en déduit immédiatement que la suite :

$$0 \to M_G(X'^{\circ}) \to M_G(X^{\circ}) \to M_G(X''^{\circ}) \to 0$$

est exacte. Soit de même X_α un système inductif filtrant de G-modules discrets et $X = \varinjlim_{\alpha} X_\alpha$. Soit m le morphisme canonique

$$\varinjlim_{\alpha} (K^0(X_\alpha)) \to K^0(X).$$

Le morphisme m est évidemment injectif, montrons qu'il est surjectif. Pour cela, il suffit de montrer que toute application continue : $a : G \to X$, se factorise par un X_α. Or G étant compact et X discret, l'image de G par a est finie. Cette image est donc contenue dans l'image, dans X, d'un X_α.

1.5. DÉFINITION. Toute résolution de X, fonctorielle en X, possédant les propriétés de la proposition 1.4, sera appelée foncteur résolvant (cf. Tohoku).

1.6. PROPOSITION. Soient (K_1^*, ε_1) et (K_2^*, ε_2) deux foncteurs résolvants. Il existe un foncteur résolvant (K_3^*, ε_3) et deux morphismes de foncteurs résolvants :

$$m_1^3 : K_1^* \to K_3^* \qquad m_2^3 : K_2^* \to K_3^*$$

tels que le diagramme suivant soit commutatif :

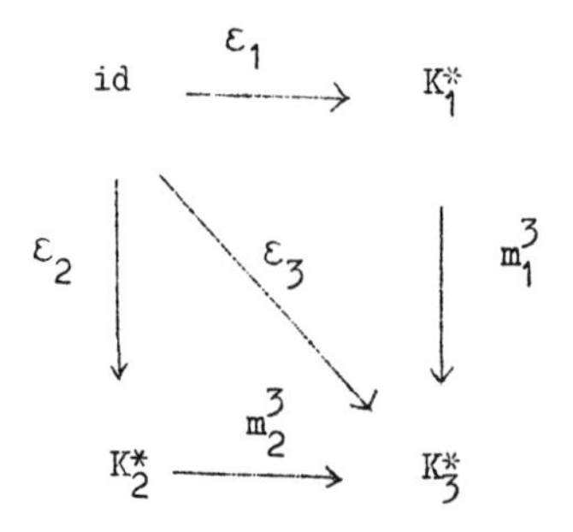

Soit $K_3^*(X)$ le complexe simple associé au double complexe : $K_1^i(K_2^j(X))$.
Le foncteur K_1^* étant exact, le complexe $K_3^*(X)$ est acyclique sauf en dimension zéro. Le foncteur $X \rightsquigarrow K_3^*(X)$ est exact et commute aux limites inductives filtrantes. De plus pour tout entier $i \geqslant 0$, $K_3^i(X)$ est cohomologiquement trivial car il est somme directe de G-modules cohomologiquement triviaux. Enfin les morphismes d'injection des complexes $K_1^*(X)$ et $K_2^*(X)$ dans le double complexe $K_1^i(K_2^j(X))$ définissent des morphismes de complexes

$$m_1^3 : K_1^* \longrightarrow K_3^*$$

$$m_2^3 : K_2^* \longrightarrow K_3^*$$

fonctoriels en X, qui induisent un isomorphisme sur les objets de cohomologie, tels que le diagramme suivant soit commutatif :

$$\begin{array}{ccc} X & \xrightarrow{\varepsilon_1} & K_1^*(X) \\ \varepsilon_2 \downarrow & & \downarrow m_1^3 \\ K_2^*(X) & \xrightarrow{m_2^3} & K_3^*(X) \end{array}$$

ce qui permet de définir le morphisme ε_3 et achève la démonstration.

§ 2. Homomorphismes locaux

2.1. DÉFINITION. Soient S un sous-groupe fermé de G, X et Y deux G-modules discrets. On notera :

$$\underline{\underline{\mathrm{Hom}}}_S(X,Y) = \varinjlim_{V \supset S} \mathrm{Hom}_V(X,Y) \xrightarrow{\sim} \varinjlim_{V \supset S} \mathrm{Hom}_G(X_V, Y) \xrightarrow{\sim} \varinjlim_{V \supset S} \mathrm{Hom}_G(X, {}_VY) .$$

Les limites inductives étant prises suivant le système projectif des sous-groupes ouverts V contenant S.

Le groupe $\underline{\underline{\mathrm{Hom}}}_S(X,Y)$ sera appelé le groupe des homomorphismes locaux en S. Lorsque $S = \{1\}$, on notera $\underline{\underline{\mathrm{Hom}}}_S(X,Y) = \underline{\underline{\mathrm{Hom}}}(X,Y)$.

2.2. PROPOSITION. Soit U un sous-groupe fermé de G, contenant S et normalisant S.

1) Le groupe U/S opère sur $\underline{\underline{\mathrm{Hom}}}_S(X,Y)$, faisant de $\underline{\underline{\mathrm{Hom}}}_S(X,Y)$ un U/S-module discret topologique ; de plus :

$$H^0(U/S, \underline{\underline{\mathrm{Hom}}}_S(X,Y)) = \underline{\underline{\mathrm{Hom}}}_U(X,Y)$$

2) Si Y est injectif,

$$cd_{U/S}(\underline{\underline{\mathrm{Hom}}}_S(X,Y)) = 0$$

3) Les foncteurs dérivés droits de $Y \rightsquigarrow \underline{\underline{\mathrm{Hom}}}_S(X,Y)$ (à valeur dans la catégorie des U/S-modules) sont :

$$\underline{\underline{\mathrm{Ext}}}^i_S(X,Y) = \varinjlim_{V \supset S} \mathrm{Ext}^i_V(X,Y) \xrightarrow{\sim} \varinjlim_{V \supset S} \mathrm{Ext}^i_G(X_V,Y) \xrightarrow{\sim} \varinjlim_{V \supset S} \mathrm{Ext}^i_G(X, {}_VY) .$$

DÉMONSTRATION. 1) On vérifie sans difficultés que $\underline{\underline{\mathrm{Hom}}}(X,Y)$ est le plus grand sous-module de $\mathrm{Hom}_{\underline{\underline{Z}}}(X,Y)$ sur lequel G opère continûment et que

$$\underline{\underline{\mathrm{Hom}}}(X,Y)^S = \underline{\underline{\mathrm{Hom}}}_S(X,Y).$$

L'assertion s'en déduit immédiatement.

2) Il faut montrer que pour tout sous-groupe U et tout entier $i > 0$,

$$H^i(U/S, \underline{\underline{Hom}}_S(X,Y)) = 0 .$$

Or tout sous-groupe ouvert V' contenant S, contient un sous-groupe ouvert V, contenant S et normalisé par U. On en déduit que

$$H^0(U/S, \underline{\underline{Hom}}_S(X,Y)) = \varinjlim_{V \supset S} H^0(U.V/V, \underline{\underline{Hom}}_V(X,Y)) ,$$

la limite étant prise sur les sous-groupes V normalisés par U. Par suite, d'après chap. 1, § 1, proposition 8, on peut supposer que S est ouvert.

Soit $Z^\bullet$ une résolution (indexée par les entiers négatifs) du U/S-module $\underline{\underline{Z}}$, par des U/S-modules libres de type fini. On a alors :

$$H^*(U/S, \underline{\underline{Hom}}_S(X,Y)) = H^*(\mathrm{Hom}^\bullet{}_{U/S}(Z^\bullet, \underline{\underline{Hom}}_S(X,Y))\ {}^{(*)} .$$

Mais S étant ouvert $\underline{\underline{Hom}}_S(X,Y) = \mathrm{Hom}_S(X,Y)$. Il vient alors en utilisant les isomorphismes canoniques :

$$H^*(U/S, \underline{\underline{Hom}}_S(X,Y)) = H^*(\mathrm{Hom}^\bullet_U(X, \mathrm{Hom}^\bullet_{\underline{\underline{Z}}}(Z^\bullet,Y))) .$$

Les termes du complexe $Z^\bullet$ sont des sommes directes de modules isomorphes à $\underline{\underline{Z}}(U/S)$. Par suite les termes du complexe $\mathrm{Hom}^\bullet_{\underline{\underline{Z}}}(Z^\bullet,Y)$ sont des sommes directes de modules isomorphes à $\mathrm{Hom}_{\underline{\underline{Z}}}(\underline{\underline{Z}}(U/S),Y)$. Or Y est G-injectif, donc U-injectif. Par suite, d'après la proposition 1.3, le U-module $\mathrm{Hom}_{\underline{\underline{Z}}}(\underline{\underline{Z}}(U/S),Y)$ est injectif. Les termes du complexe $\mathrm{Hom}^\bullet_{\underline{\underline{Z}}}(Z^\bullet,Y)$ sont donc des U-modules injectifs. De plus, les modules de cohomologie de ce complexe sont tous nuls, sauf en dimension zéro où l'on a $H^0(\mathrm{Hom}^\bullet_{\underline{\underline{Z}}}(Z^\bullet,Y)) = Y$. Le complexe $\mathrm{Hom}^\bullet_{\underline{\underline{Z}}}(Z^\bullet,Y)$ est donc une résolution injective du U-module Y. On a donc

$$H^*(U/S, \underline{\underline{Hom}}_S(X,Y)) = \mathrm{Ext}^*_U(X,Y).$$

(*) $\mathrm{Hom}^\bullet{}_{U/S}$ désigne le complexe des morphismes.

Mais Y, étant G-injectif, est U-injectif, c.q.f.d.

3) L'assertion est claire.

2.3. COROLLAIRE. Il existe une suite spectrale :

$$E_2^{p,q} = H^p(U/S, \underline{\underline{Ext}}_S^q(X,Y)) \Longrightarrow \underline{\underline{Ext}}_U^{p+q}(X,Y) .$$

C'est la suite spectrale des foncteurs composés (prop. 2.2, (1)) qui s'applique ici à cause de la proposition 2.2, (2).

2.4. PROPOSITION. Lorsque X est de type fini (en tant que groupe abélien ou bien en tant que G-module, c'est la même chose), ou bien lorsque S est ouvert, on a :

$$\underline{\underline{Hom}}_S(X,Y) = Hom_S(X,Y) \qquad \underline{\underline{Ext}}_S^i(X,Y) = Ext_S^i(X,Y) .$$

Le cas S ouvert est trivial. Supposons que X soit de type fini. Le groupe G opère alors sur X, par l'intermédiaire de G/V' où V' est un sous-groupe ouvert invariant assez petit. On en déduit que pour tout sous-groupe ouvert V assez petit :

$$Hom_V(X,Y) = Hom_{\underline{\underline{Z}}}(X,Y^V)$$

et par suite, X étant de type fini en tant que groupe abélien :

$$\underline{\underline{Hom}}(X,Y) = Hom_{\underline{\underline{Z}}}(X,Y) .$$

La proposition s'en déduit aisément.

2.5. COROLLAIRE. Lorsque U est ouvert (par exemple U = G), la suite spectrale 2.3 devient :

$$H^p(U/S, \underline{\underline{Ext}}_S^q(X,Y)) \Longrightarrow Ext_U^{p+q}(X,Y) .$$

Lorsque X est de type fini, ou bien lorsque S est ouvert, cette suite spectrale devient :

$$H^p(U/S, Ext^q_S(X,Y) \Longrightarrow Ext^{p+q}_U(X,Y) .$$

En particulier, lorsque X est de type fini, on a :

$$H^p(U, \underline{\underline{Ext}}^q_{\underline{\underline{Z}}}(X,Y)) \Longrightarrow Ext^{p+q}_U(X,Y) .$$

Cette suite spectrale fournit la suite exacte illimitée :

$$0 \to H^1(U, Hom_{\underline{\underline{Z}}}(X,Y) \to Ext^1_U(X,Y) \to H^0(U, Ext_{\underline{\underline{Z}}}(X,Y) \xrightarrow{\delta} H^2(U, Hom_{\underline{\underline{Z}}}(X,Y)) \to \cdots$$

$$\cdots \to H^p(U, Hom_{\underline{\underline{Z}}}(X,Y)) \to Ext^p_U(X,Y) \to H^{p-1}(U, Ext_{\underline{\underline{Z}}}(X,Y)) \xrightarrow{\delta} H^{p+1}(U, Hom_{\underline{\underline{Z}}}(X,Y)) \to \cdots$$

2.6. REMARQUES. 1) Soit V un sous-groupe ouvert invariant de G. Pour tout couple de G-modules X et Y, le groupe abélien $Ext^i_V(X,Y)$ est muni d'une structure de G/V-module. Cette structure de G/V-module peut se définir simplement de la manière suivante : $Ext^i_V(X,Y)$ est fonctoriellement isomorphe à $Ext^i_G(X_V,Y)$. Or, (prop. 1.3 (5)) X_V est muni d'une structure de G/V-module à droite. On en déduit que pour tout foncteur contravariant F, à valeur dans la catégorie des groupes abéliens, $F(X_V)$ est un G/V-module à gauche. Soit S un sous-groupe fermé de G, invariant. La remarque précédente nous permet d'obtenir facilement la structure de G/S-module de $\underline{\underline{Ext}}^i_S(X,Y)$. En effet, le G/S-module $\underline{\underline{Ext}}^i_S(X,Y)$ est la limite inductive des G/S-modules $Ext^i_V(X,Y)$, la limite étant prise sur les sous-groupes ouverts V invariants et contenant S.

2) Lorsque $X = \underline{\underline{Z}}$, $Ext^i_V(\underline{\underline{Z}},Y) = H^i(V,Y)$ est donc muni d'une structure de G/V-module. Supposons que G opère trivialement sur Y. La structure de G/V-module de $H^i(V,Y)$ est alors déduite des opérations de G sur V

par automorphismes intérieurs.

3) Soient V un sous-groupe ouvert de G, X un G-module. On a alors les isomorphismes :

$$H^i(V,X) \xrightarrow{\sim} H^i(G,{}_VX) \xrightarrow{\sim} H^i(G,X_V)$$

le premier isomorphisme étant défini à partir des isomorphismes de la proposition 1.3 (1), le second étant défini à l'aide de l'isomorphisme de la proposition 1.3 (2), $i_V : X_V \to {}_VX$. Soit V' un sous-groupe ouvert invariant de G, contenu dans V. L'homomorphisme canonique : ${}_VX \to {}_{V'}X$ définit un homomorphisme canonique : $H^i(V,X) \to H^i(V',X)$, qui n'est autre que la <u>restriction</u>. De même, l'homomorphisme canonique : $X_{V'} \to X_V$ définit un homomorphisme : $H^i(V',X) \to H^i(V,X)$ qui n'est autre que la <u>corestriction</u>.

§ 3. Le théorème de dualité

Nous noterons C l'une des catégories :

- C_G catégorie des G-modules discrets topologiques,
- C_G^t sous-catégorie pleine de C_G des G-modules de torsion,
- C_G^p sous-catégorie pleine de C_G des G-modules de p-torsion.

Pour simplifier l'écriture, le foncteur $H^0(G, \ )$ sera noté Γ .

Soient $X^\cdot$ et $Y^\cdot$ deux complexes d'une catégorie additive quelconque. $Hom^\cdot(X^\cdot,Y^\cdot)$ désignera le complexe simple des morphismes de $X^\cdot$ dans $Y^\cdot$.

Lorsqu'on utilisera un foncteur résolvant (Définition 1.5), il s'agira toujours d'un foncteur résolvant à valeur dans C et non pas seulement à valeur dans C_G . Le foncteur K^* de la proposition 1.4 est, lorsque l'argument est un objet de C, à valeur dans C).

3.1. PROPOSITION. Soient A un groupe abélien, $X \rightsquigarrow K^*(X)$ un foncteur résolvant.

1) Le foncteur

$$X \rightsquigarrow \mathrm{Hom}^{\bullet}_{Ab}(\Gamma K^*(X),A)$$

de C à valeur dans les complexes de groupes abéliens, est représentable. En d'autres termes, il existe un complexe $\tilde{\Gamma}_C(A)$ d'objets de C et un isomorphisme de foncteur :

$$\Delta : \mathrm{Hom}^{\bullet}_{Ab}(\Gamma K^*(X),A) \xrightarrow{\sim} \mathrm{Hom}^{\bullet}_C(X,\tilde{\Gamma}_C(A)) \quad .$$

Le complexe $\tilde{\Gamma}_C(A)$ est fonctoriel en A. Le foncteur : $A \rightsquigarrow \tilde{\Gamma}_C(A)$ est unique à isomorphisme unique près.

2) Le complexe $\tilde{\Gamma}_C(A)$ ne dépend pas, à homotopie près, du foncteur résolvant choisi.

3) Lorsque A est un groupe abélien injectif, les objets du complexe $\tilde{\Gamma}_C(A)$ sont injectifs.

4) Soit $X \rightsquigarrow K^*(X)$ un foncteur résolvant de C_G, qui, lorsque X est un objet de C^t_G (resp. de C^p_G), est à valeur dans C^t_G (resp. C^p_G). $\tilde{\Gamma}_{C^t_G}(A)$ est le sous-complexe de torsion de $\tilde{\Gamma}_{C_G}(A)$. Le complexe $\tilde{\Gamma}_{C^p_G}(A)$ est la partie p-primaire de $\tilde{\Gamma}_{C^t_G}(A)$.

5) Lorsque A est un groupe abélien injectif, les objets de cohomologie de $\tilde{\Gamma}_C(A)$ sont donnés par les formules suivantes :

a) $C = C_G$

$$H^{-q}(\tilde{\Gamma}_{C_G}(A)) = \varinjlim_{V,\mathrm{cor}} \mathrm{Hom}_{\underline{\underline{Z}}}(H^q(V,\underline{\underline{Z}}),A) \ ,$$

la limite inductive étant prise sur les sous-groupes ouverts et les morphismes de corestrictions. La structure de G-module est définie par la structure de G-module à droite de $H^q(V,\underline{\underline{Z}})$ lorsque V est invariant dans G.

b) $C = C_G^t$

$$H^{-q}(\tilde{\Gamma}_{C_G^t}(A)) = \varinjlim_{V,cor,m} \mathrm{Hom}_{\underline{\underline{Z}}}(H^q(V,\underline{\underline{Z}}/m\underline{\underline{Z}}),A)$$

c) $C = C_G^p$

$$H^{-q}(\tilde{\Gamma}_{C_G^p}(A)) = \varinjlim_{V,cor,m} \mathrm{Hom}_{\underline{\underline{Z}}}(H^q(V,\underline{\underline{Z}}/p^m\underline{\underline{Z}}),A)$$

DÉMONSTRATION. 1) D'après les propriétés des foncteurs résolvants (Définition 1.5) le foncteur :

$$X \rightsquigarrow \mathrm{Hom}(\Gamma K^i(X),A)$$

est contravariant, exact à gauche, et il transforme limite inductive filtrante en limite projective filtrante. Comme la catégorie C est localement noethérienne (cf. thèse de Gabriel, chap.2), ce foncteur est représentable (cf. thèse de Gabriel, chap.2, n°4 ou encore dans ce cours, chap.1, § 3, lemme 6). L'assertion s'en déduit aisément.

2) Soient K_1^* et K_2^* deux foncteurs résolvants ; pour démontrer l'assertion, on peut supposer, d'après la proposition 1.6, qu'il existe un morphisme de résolution $m : K_1^* \longrightarrow K_2^*$. On en déduit un morphisme fonctoriel en A $\tilde{m} : \tilde{\Gamma}_{C,1}(A) \longrightarrow \tilde{\Gamma}_{C,2}(A)$ qui possède la propriété suivante : pour tout objet X de C le morphisme déduit de m :

$$\mathrm{Hom}_C^\bullet(X, \Gamma_{C,1}(A)) \longrightarrow \mathrm{Hom}_C^\bullet(X, \tilde{\Gamma}_{C,2}(A))$$

induit un isomorphisme sur les groupes de cohomologie. On en déduit que le morphisme m est un isomorphisme à homotopie près.

3) Clair

4) Clair

5) Etudions le cas $C = C_G$. L'isomorphisme Δ induit sur les groupes de cohomologie un isomorphisme :

$$\Delta_{-q} : \mathrm{Hom}_{\underline{\underline{Z}}}(H^q(G,X),A) \longrightarrow H^{-q}(\mathrm{Hom}_G(X, \tilde{\Gamma}_{C_G}(A)).$$

Prenant $X = \underline{\underline{Z}}_V$ et passant à la limite inductive sur les sous-groupes ouverts, on obtient le résultat annoncé. On procède de même pour les autres cas.

On désignera par $R(Ab)$ (resp. $R(C)$), la catégorie des complexes finis (i.e. ne comportant qu'un nombre fini d'objets non nuls) de groupes abéliens (resp. d'objets de C)[1]. Lorsque le foncteur Γ est de dimension cohomologique finie sur C, il existe des foncteurs résolvants finis (i.e. tel que pour tout objet X de C, $K^*(X)$ soit un complexe fini) : si on considère le foncteur résolvant donné par la proposition 1.4, les Z^i, pour i assez grand, sont cohomologiquement triviaux. Soit donc $X \rightsquigarrow K^*(X)$ un foncteur résolvant fini. On le prolongera à la catégorie $R(C)$ de la manière suivante : soit $X^{\cdot}$ un objet de $R(C)$ on posera :

$$K^*(X^{\cdot}) = \text{complexe simple associé au complexe double : } K^i(X^j)$$

3.2. PROPOSITION. Supposons que Γ soit de dimension cohomologique fini sur C. Soient $X \rightsquigarrow K^*(X)$ un foncteur résolvant fini, $X^{\cdot}$ un objet de $R(C)$, $A^{\cdot}$ un objet de $R(Ab)$.

1) Il existe un foncteur $A^{\cdot} \rightsquigarrow \tilde{\Gamma}_C(A^{\cdot})$ à valeur dans $R(C)$ et un isomorphisme bi-fonctoriel :

$$\Delta : \mathrm{Hom}^{\cdot}_{Ab}(\Gamma K^*(X^{\cdot}),A^{\cdot}) \xrightarrow{\sim} \mathrm{Hom}^{\cdot}_C(X^{\cdot}, \tilde{\Gamma}_C(A^{\cdot})) .$$

---

1) Les morphismes de $R(Ab)$ (resp. $R(C)$) sont les homomorphismes de complexes, i.e. conservant le degré et commutant avec la différentielle.

2) L'isomorphisme Δ définit un homomorphisme de complexes (i.e. commutant avec la différentielle) de degré zéro :

$$\rho : \Gamma K^* \tilde{\Gamma}_C(A^\bullet) \longrightarrow A^\bullet$$

tel que l'isomorphisme Δ^{-1} soit le composé des homomorphismes :

$$\mathrm{Hom}^\bullet_C(X^\bullet, \tilde{\Gamma}_C(A^\bullet)) \xrightarrow{\Gamma K^*} \mathrm{Hom}^\bullet_{Ab}(\Gamma K^*(X^\bullet), \Gamma K^* \Gamma_C(A^\bullet)) \xrightarrow{\circ \rho} \mathrm{Hom}^\bullet_{Ab}(\Gamma K^*(X^\bullet), A)$$

DÉMONSTRATION. La démonstration de (1) est triviale à partir de la proposition 3.1 (1). Pour démontrer l'assertion (2), on transpose les démonstrations classiques sur les foncteurs adjoints.

Soit $X^\bullet$ un objet de $R(C)$. Nous désignerons par $\underline{H}^i(G,X^\bullet)$ le i-ème groupe d'hypercohomologie de $\Gamma(X^\bullet)$, soit de plus $Y^\bullet$ un autre objet de $R(C)$; nous désignerons par $\underline{\mathrm{Ext}}^i_G(X^\bullet, Y^\bullet)$ le i-ème hyperext (cf. Cartan-Eilenberg, chap. XVII, n°2). Cette notation, où C n'intervient pas, n'apporte cependant pas de confusion grâce au

3.3 LEMME. Un objet I, injectif dans C, est injectif dans C_G.

Le cas $C = C_G$ étant trivial, étudions par exemple le cas $C = C^t_G$. Soit J un injectif de C_G. Il est clair que le sous-objet de torsion J^t de J est un injectif de C^t_G et que tout objet de C^t_G se plonge dans un injectif de ce type. Il nous suffit donc de montrer que J^t est un injectif de C_G. Mais J, étant injectif, est facteur direct du module induit injectif $M_G(J^\circ)$ où J° est le groupe abélien injectif sous-jacent à J. On en déduit que J^t est facteur direct de $M_G(J^\circ)^t = M_G(J^{\circ t})$ qui est injectif dans C_G.

Le cas $C = C_G^p$ se démontre de manière analogue.

3.4 DÉFINITION. Un complexe dualisant de C est un complexe fini $D^\bullet$ de C et $\rho : \underline{H}^0(G,D^\bullet) \longrightarrow \underline{\underline{Q}}/\underline{\underline{Z}}$ un homomorphisme tel que les homomorphismes composés :

$$\underline{H}^i(G,X^\bullet) \times \underline{\mathrm{Ext}}_G^{-i}(X^\bullet,D^\bullet) \xrightarrow{\cup} \underline{H}^0(G,D^\bullet) \xrightarrow{\rho} \underline{\underline{Q}}/\underline{\underline{Z}}$$

(la première flèche étant définie par le cup-produit), définissent des isomorphismes de foncteurs : $\underline{\mathrm{Ext}}_G^{-i}(X^\bullet,D^\bullet) \xrightarrow{\sim} \mathrm{Hom}_{\underline{\underline{Z}}}(\underline{H}^i(G,X^\bullet), \underline{\underline{Q}}/\underline{\underline{Z}})$.

L'unicité du complexe dualisant est explicitée par la proposition ci-dessous. Soit $X^\bullet$ un objet de $R(C)$. Une résolution injective de $X^\bullet$ est un homomorphisme de complexe $X^\bullet \longrightarrow \mathrm{Inj}(X^\bullet)$ dans un complexe dont tous les objets sont des objets de C, injectifs et dont tous les objets de degré négatif sont nuls sauf au plus un nombre fini d'entre eux, homomorphisme qui induit un isomorphisme sur les objets de cohomologie. Il existe des résolutions injectives (Cartan-Eilenberg, chap. XVII). Les résolutions injectives sont uniques à homotopie près.

3.5. PROPOSITION. Soient $(D_1^\bullet, \rho_1)$ et $(D_2^\bullet, \rho_2)$ deux complexes dualisants de C, $\mathrm{Inj}(D_1^\bullet)$ et $\mathrm{Inj}(D_2^\bullet)$ deux résolutions injectives. Il existe un isomorphisme à homotopie près et un seul :

$$s : \mathrm{Inj}(D_1^\bullet) \longrightarrow \mathrm{Inj}(D_2^\bullet)$$

qui soit compatible avec ρ_1 et ρ_2.

Nous ne démontrerons pas cette proposition.

3.6. THÉORÈME. Soit G un groupe profini de dimension cohomologique finie (resp. de p-dimension cohomologique finie). Les catégories C_G, C_G^t, C_G^p (resp. C_G^p) possèdent des complexes dualisants.

En effet l'isomorphisme Δ de la proposition 3.2 donne, en passant à la cohomologie, des isomorphismes :

$$\Delta_{-q} : \mathrm{Hom}_{\underline{\underline{Z}}}(\underline{H}^q(G,X^\cdot),\underline{\underline{Q}}/\underline{\underline{Z}}) \xrightarrow{\sim} \underline{\mathrm{Ext}}_G^{-q}(X^\cdot,\Gamma_C(\underline{\underline{Q}}/\underline{\underline{Z}})) .$$

De plus, le (2) de la proposition 3.2 permet de définir un homomorphisme

$$\rho : \underline{H}^0(G,\Gamma_C(\underline{\underline{Q}}/\underline{\underline{Z}})) \longrightarrow \underline{\underline{Q}}/\underline{\underline{Z}}$$

et la deuxième partie de l'assertion (2) ainsi que la définition du cup-produit montrent que l'isomorphisme Δ_{-q}^{-1} est défini par l'homomorphisme composé :

$$\underline{\mathrm{Ext}}_G^{-q}(X^\cdot,\Gamma_C(\underline{\underline{Q}}/\underline{\underline{Z}})) \times \underline{H}^q(G,X^\cdot) \xrightarrow{\smile} \underline{H}^0(G,\Gamma_C(\underline{\underline{Q}}/\underline{\underline{Z}})) \xrightarrow{\rho} \underline{\underline{Q}}/\underline{\underline{Z}}$$

Nous noterons $\tilde{I}$ (resp. $\tilde{I}^t$, resp. $\tilde{I}^p$) le complexe de G-modules injectifs $\tilde{\Gamma}_{C_G}(\underline{\underline{Q}}/\underline{\underline{Z}})$ (resp. $\tilde{\Gamma}_{C_G^t}(\underline{\underline{Q}}/\underline{\underline{Z}})$, resp. $\tilde{\Gamma}_{C_G^p}(\underline{\underline{Q}}/\underline{\underline{Z}})$) obtenu d'après la proposition 3.1 à l'aide d'un foncteur résolvant quelconque*. Les objets de cohomologie de ces complexes sont donnés par les formules de la proposition 3.1 (5). Changer de foncteur résolvant revient à remplacer les complexes $\tilde{I}$, $\tilde{I}^t$, $\tilde{I}^p$ par des complexes homotopiquement équivalents. Lorsque, par exemple, G est de dimension cohomologique finie, le complexe $\tilde{I}$ est homotope à un complexe injectif fini et le théorème 3.6 nous montre que l'isomorphisme de ∂-foncteurs :

$$\Delta_{-q} : \mathrm{Hom}_{\underline{\underline{Z}}}(H^q(G,X),\underline{\underline{Q}}/\underline{\underline{Z}}) \longrightarrow H^{-q}(\mathrm{Hom}_G^\cdot(X,\tilde{I})) \qquad X \in \mathrm{ob}(C_G)$$

(défini par la proposition 3.1 sans hypothèse sur G) est défini ici par un cup-produit.

*) Lorsqu'aucune confusion n'en résultera on écrira simplement I (resp. I^t, I^p).

3.7 PROPOSITION. Soit G un groupe profini et soit H un groupe opérant sur G, possédant la propriété suivante : pour tout sous-groupe ouvert V de G, il existe un sous-groupe ouvert V' contenu dans V, invariant par H et par G.

Alors pour tout entier q, H opère sur $H^{-q}(\tilde{I})$ et si on désigne par h_q l'opération d'un $h \in H$ sur $H^{-q}(\tilde{I})$, on a la formule :

$$h_q(g_\alpha) = h(g)h_q(\alpha) \qquad g \in G, \quad \alpha \in H^{-q}(\tilde{I}) .$$

En d'autres termes, H opère sur le G-module $H^{-q}(\tilde{I})$ de façon compatible avec les automorphismes de H sur G.

De plus, si $H = G$ et si G opère sur lui-même par automorphisme intérieur, l'opération de G sur $H^{-q}(\tilde{I})$ n'est autre que l'opération naturelle de G sur $H^{-q}(\tilde{I})$.

Enfin on a les mêmes résultats pour les complexes $\tilde{I}^t$ et $\tilde{I}^p$.

En effet, d'après la proposition 3.1

$$H^{-q}(\tilde{I}) = \varinjlim_{V,\, cor} \operatorname{Hom}_{\mathbb{Z}}(H^q(V,\mathbb{Z}),\ \mathbb{Q}/\mathbb{Z}).$$

Lorsque V est invariant par H et par G, H opère sur $\operatorname{Hom}_{\mathbb{Z}}(H^{-q}(V,\mathbb{Z}),\mathbb{Q}/\mathbb{Z})$ de façon compatible avec les opérations de G qui, elles, s'obtiennent à partir des opérations de G sur V par automorphisme intérieur. D'où le résultat en passant à la limite inductive. On refait le même raisonnement pour les complexes $\tilde{I}^t$ et $\tilde{I}^p$.

3.8. PROPOSITION. Soient G un groupe profini, V un sous-groupe ouvert invariant.

1) Le V-module $H^{-q}(\tilde{I}_V)$ est canoniquement isomorphe au V-module obtenu en restreignant les scalaires dans le G-module $H^{-q}(\tilde{I}_G)$.

Réciproquement, G opère sur V par automorphisme intérieur et vérifie la condition de la proposition 3.7. Il opère donc sur $H^{-q}(I_V)$. Le G-module ainsi obtenu est canoniquement isomorphe à $H^{-q}(I_G)$.

On obtient des résultats analogues avec les complexes $\tilde{I}^t$ et $\tilde{I}^p$.

DÉMONSTRATION. La première assertion est évidente à partir des formules de la proposition 3.1. La deuxième assertion se déduit immédiatement de la proposition 3.7.

Les deux dernières propositions nous serviront à déterminer le complexe dualisant de G connaissant celui de V.

§ 4. Application du théorème de dualité

4.1. DÉFINITION. Soient G un groupe profini, p un nombre premier. Le groupe G est dit <u>de Cohen-Macaulay strict en</u> p si :

1) G est de p-dimension cohomologique finie.

2) Le complexe $\tilde{I}_G^p$ n'a qu'un seul objet de cohomologie non nul.

3) Les objets de cohomologie de $\tilde{I}_G^p$ sont injectifs en tant que groupes abéliens.

4.2. REMARQUES. 1) Si G est de Cohen-Macaulay strict en p et si $cd_p(G) = n$, l'objet de cohomologie non nul de $\tilde{I}_G^p$ est $H^{-n}(\tilde{I}_G^p)$. C'est donc le module dualisant de G (chap. 1, § 3, n°5).

2) Par analogie avec la théorie de la dualité dans les anneaux locaux, on dit que G est un groupe de Cohen-Macaulay en p s'il possède les deux premières propriétés de la définition 4.1. Je ne connais pas de groupe de

Cohen-Macaulay qui ne soit pas de Cohen-Macaulay strict.

Soit G un groupe de Cohen-Macaulay en p. Nous noterons $\hat{I}^p = H^{-n}(\hat{I}^p_G)$ $(n = cd_p(G))$ le module dualisant de G. Le théorème de dualité s'écrit alors :

$$\Delta_{-q} : \mathrm{Hom}_{\mathbb{Z}}(H^q(G,X),\mathbb{Q}/\mathbb{Z}) \xrightarrow{\sim} \mathrm{Ext}^{n-q}_G(X,\hat{I}^p) \qquad X \in ob(C^p_G) \quad .$$

En effet, on peut prendre comme complexe dualisant le complexe réduit au seul objet $\hat{I}^p$ en degré $-n$ et zéro ailleurs. L'isomorphisme de dualité est défini à l'aide du cup-produit et de l'homomorphisme canonique $\rho : H^n(G,I^p) \to \mathbb{Q}/\mathbb{Z}$.

Nous poserons $H^q(G) = H^q(G,\mathbb{Z}/p\mathbb{Z})$.

4.3. PROPOSITION. Soit G un groupe profini tel que $cd_p(G) = n$. Les deux propriétés suivantes sont équivalentes :

1) G est de Cohen-Macaulay strict en p.

2) Pour tout $q \neq n$, $\varinjlim_{V,\, cor} \mathrm{Hom}_{\mathbb{Z}}(H^q(V), \mathbb{Q}/\mathbb{Z}) = \{0\}$.

DÉMONSTRATION. 1) $\Rightarrow$ 2). En effet en posant $X = \mathbb{Z}/p\mathbb{Z}_V$ dans la formule de dualité on obtient l'isomorphisme :

$$\mathrm{Hom}_{\mathbb{Z}}(H^q(V),\mathbb{Q}/\mathbb{Z}) \xrightarrow{\sim} \mathrm{Ext}^{n-q}_V(\mathbb{Z}/p\mathbb{Z},\hat{I}^p) \ .$$

En passant à la limite inductive sur les sous-groupes ouverts, on obtient le résultat. (On utilise la proposition 2.4).

2) $\Rightarrow$ 1). Les foncteurs $X \rightsquigarrow \varinjlim_{V,\, cor} \mathrm{Hom}_{\mathbb{Z}}(H^q(V,X),\mathbb{Q}/\mathbb{Z})$ forment un ∂-foncteur. Le G-module $\mathbb{Z}/p^m\mathbb{Z}$ admettant une suite de compositions à quotients $\mathbb{Z}/p\mathbb{Z}$, on en déduit que pour tout entier m :

$$\varinjlim_{V,\ \mathrm{cor}} \mathrm{Hom}_{\underline{\underline{Z}}}(H^q(V,\underline{\underline{Z}}/p^m\underline{\underline{Z}}),\underline{\underline{Q}}/\underline{\underline{Z}}) = \{0\} \qquad q \neq n$$

d'où en utilisant la proposition 3.1 (5) le fait que G est de Cohen-Macaulay. Reste à montrer que le module dualisant $\hat{I}^p$ est divisible. Or le théorème de dualité nous donne encore une fois en passant à la limite sur les sous-groupes ouverts, l'isomorphisme :

$$\mathrm{Ext}^1_{\underline{\underline{Z}}}(\underline{\underline{Z}}/p\underline{\underline{Z}},I^p) \longrightarrow \varinjlim_{V,\ \mathrm{cor}} \mathrm{Hom}_{\underline{\underline{Z}}}(H^{n-1}(V),\underline{\underline{Q}}/\underline{\underline{Z}})$$

d'où le résultat (on suppose $n > 0$, le cas $n = 0$ étant trivial).

Soit G un groupe de Cohen-Macaulay strict en p. Soit X un G-module fini de p-torsion. On posera :

$$\tilde{X} = \mathrm{Hom}_{\underline{\underline{Z}}}(X,\hat{I}^p).$$

$\tilde{X}$ est un G-module discret de p-torsion. Le foncteur $X \rightsquigarrow \tilde{X}$ est exact ($\hat{I}^p$ est divisible).

4.4. PROPOSITION. L'isomorphisme de dualité définit un isomorphisme de ∂-foncteurs :

$$\mathrm{Hom}_{\underline{\underline{Z}}}(H^q(G,X),\underline{\underline{Q}}/\underline{\underline{Z}}) \xrightarrow{\sim} H^{n-q}(G,\tilde{X}) .$$

L'isomorphisme étant défini par le cup-produit :

$$H^q(G,X) \times H^{n-q}(G,\tilde{X}) \xrightarrow{\cup} H^n(G,\hat{I}^p)$$

et l'homomorphisme canonique :

$$\rho : H^n(G,\hat{I}^p) \longrightarrow \underline{\underline{Q}}/\underline{\underline{Z}} .$$

DÉMONSTRATION. En effet, le théorème de dualité s'écrit :

$$\mathrm{Hom}_{\underline{\underline{Z}}}(H^q(G,X),\underline{\underline{Q}}/\underline{\underline{Z}}) \xrightarrow{\sim} \mathrm{Ext}^{n-q}_G(X,\hat{I}^p) .$$

Mais X est de type fini et $\hat{I}^p$ est divisible. Le corollaire 2.5 nous fournit alors un isomorphisme :

$$\mathrm{Ext}_G^{n-q}(X,\hat{I}^p) \xrightarrow{\sim} H^{n-q}(G,\mathrm{Hom}_{\underline{\underline{Z}}}(X,\hat{I}^p)) = H^{n-q}(G,\tilde{X})$$

d'où l'isomorphisme annoncé. Le fait que l'isomorphisme de dualité soit défini par le cup-produit fournit la seconde partie de la proposition.

4.5 DEFINITION. Un groupe profini G est dit de Poincaré en p si G est de Cohen-Macaulay strict en p et si le module dualisant de G est isomorphe, en tant que groupe abélien, à $\underline{\underline{Q}}_p/\underline{\underline{Z}}_p$.

4.6. PROPOSITION. Soit G un pro-p-groupe tel que $cd_p(G) = n$. Les propriétés suivantes sont équivalentes :

1) G est un groupe de Poincaré en p.

2) Les $H^q(G)$ sont des espaces vectoriels de dimension finie ; $H^n(G)$ est de dimension 1 ; le cup-produit : $H^q(G) \times H^{n-q}(G) \xrightarrow{\cup} H^n(G)$ est une forme bilinéaire non dégénérée.

1) $\Longrightarrow$ 2). Remarquons d'abord que le sous-G-module de $\hat{I}^p$: noyau de la multiplication par p est isomorphe à $\underline{\underline{Z}}/p\underline{\underline{Z}}$ en tant que groupe abélien et que G y opère trivialement (G est un pro-p-groupe). Ecrivons l'isomorphisme de dualité :

$$\mathrm{Hom}_{\underline{\underline{Z}}}(H^n(G),\underline{\underline{Q}}/\underline{\underline{Z}}) \xrightarrow{\sim} \mathrm{Hom}_G(\underline{\underline{Z}}/p\underline{\underline{Z}},\hat{I}^p) \xrightarrow{\sim} \underline{\underline{Z}}/p\underline{\underline{Z}}$$

ce qui montre que $H^n(G)$ est de dimension 1. Ensuite le G-module $\widetilde{\underline{\underline{Z}}/p\underline{\underline{Z}}}$ étant isomorphe au G-module $\underline{\underline{Z}}/p\underline{\underline{Z}}$, la proposition 4.4 nous fournit un isomorphisme :

$$\mathrm{Hom}_{\underline{\underline{Z}}}(H^q(G),\underline{\underline{Z}}/p\underline{\underline{Z}}) \longrightarrow H^{n-q}(G)$$

ce qui nous montre que les espaces vectoriels $H^q(G)$ sont isomorphes à leurs biduaux et que par suite ils sont de dimension finie. De plus, on vérifie aisément, à l'aide de la proposition 4.4 que l'isomorphisme précédent est défini par le cup-produit :

$$H^q(G) \times H^{n-q}(G) \xrightarrow{\cup} H^n(G)$$

et que par suite ce cup-produit est non dégénéré.

2) $\Longrightarrow$ 1). Cette implication a déjà été démontrée (chap.1, § 4, n°5, démonstration de la proposition 30).

4.7. PROPOSITION. Soit G un groupe profini de p-dimension cohomologique finie. Supposons qu'il existe un sous-groupe ouvert V de G qui soit de Cohen-Macaulay en p (resp. de Cohen-Macaulay strict en p, resp. de Poincaré en p). Alors G est de Cohen-Macaulay en p (resp. ...). La réciproque est vraie i.e. si G est de Cohen-Macaulay en p (resp. ...) tout sous-groupe ouvert V de G est de Cohen-Macaulay en p (resp. ...).

Ces énoncés sont triviaux à partir des définitions et de la proposition 3.8.

Lazard a montré (non publié) que si G est un groupe analytique de dimension n sur $\mathbb{Q}_p$, tous les sous-groupes ouverts assez petits sont des groupes de Poincaré. On a donc :

4.8. COROLLAIRE. Soit G un groupe analytique de dimension n sur $\mathbb{Q}_p$, compact, de p-dimension cohomologique finie. G est un groupe de Poincaré en p.

<u>Exercices</u>. 1) Soit G un groupe profini dont l'ordre est divisible par p^{∞}. Montrer que

$$H^0(\tilde{I}^p_G) = \{0\} .$$

2) Soit G un groupe de Cohen-Macaulay en p et soit $n = cd_p(G)$.

Montrer l'équivalence :

$$G \text{ de Cohen-Macaulay strict en } p \Leftrightarrow \varinjlim_{V,\mathrm{cor}} \mathrm{Hom}_{\mathbb{Z}}(H^{n-1}(V),\mathbb{Q}/\mathbb{Z}) = \{0\} .$$

3) Soit G un groupe de p-dimension 1. G est un groupe de Cohen-Macaulay strict en p.

4) Soit $F(J)$ un p-groupe libre, $\{\sigma_i\}_{i \in J}$ les générateurs, (σ_i) les sous-groupes fermés engendrés par les générateurs. Montrer que le module dualisant de $F(J)$ est

$$\coprod_{i \in J} M_G^{(\sigma_i)}(\mathbb{Q}_p/\mathbb{Z}_p) .$$

BIBLIOGRAPHIE

A.ALBERT and N.JACOBSON - On reduced exceptional simple Jordan algebras, Ann. of Maths., 66, 1957, p.400-417.

E.ARTIN and J.TATE - Class field Theory, Harvard, 1961; Benjamin, N.York, 1967.

A.BOREL - Groupes linéaires algébriques, Ann. of Maths., 64, 1956,p.20-82.

" " - Some finiteness properties of adele groups over number fields, Publ. Math.IHES, 1963, n°16.

" " - Arithmetic properties of linear algebraic groups, Proc. Cong. Stockholm, 1962, p.10-22.

A.BOREL and HARISH-CHANDRA - Arithmetic subgroups of algebraic groups, Ann. of Maths., 75, 1962, p.485-535.

A.BOREL et J-P.SERRE - Théorèmesde finitude en cohomologie galoisienne Comm.Math.Helv., 39, 1964, p.111-164.

H.CARTAN and S.EILENBERG - Homological algebra, Princeton Math. Ser., n°19, Princeton, 1956 (cité [M]).

P.CARTIER - Groupes algébriques et groupes formels, Colloque de Bruxelles, 1962, p.87-111

J.CASSELS - Arithmetic on an elliptic curve, Proc. Cong. Stockholm, 1962, p.234-246.

F.CHÂTELET - Variations sur un thème de H.Poincaré, Annales ENS, 61, 1944, p.249-300.

" " - Méthodes galoisiennes et courbes de genre 1, Ann. Univ. Lyon, sect. A - IX, 1946, p.40-49.

C.CHEVALLEY - Sur certains groupes simples, Tôhoku Math.J., 7, 1955, p.14-66.

" " - Classification des groupes de Lie algébriques, Séminaire ENS, 1956-1958.

" " - Certains schémas de groupes semi-simples, Séminaire Bourbaki, 1960-1961, exposé 219.

P.DEDECKER - Sur la cohomologie non abélienne, I, Can. J. Math., 12, 1960, p.231-251 ; II, ibid., 15, 1963, p.84-93.

A.DELZANT - Définition des classes de Stiefel-Whitney d'un module quadratique sur un corps de caractéristique différente de 2, C.R. Acad. Sci., 255, 1962, p.1366-1368.

M.DEMAZURE et A.GROTHENDIECK - Schémas en groupes, Lect.Notes 151-152-153.

S.DEMUŠKIN - Le groupe de la p-extension maximale d'un corps local [en russe], Dokl. Akad. Nauk SSSR, 128, 1959, p.657-660.

J.DIEUDONNÉ - La géométrie des groupes classiques, Ergebnisse der Math., Heft 5, 1955.

A.DOUADY - Cohomologie des groupes compacts totalement discontinus, Séminaire Bourbaki, 1959-1960, exposé 189.

P.GABRIEL - Des catégories abéliennes, Bull. Soc. Math. France, 90, 1962, p.323-448.

I.GIORGIUTTI - Groupes de Grothendieck, à paraître dans les Annales Fac. Sci. de Toulouse.

R. GODEMENT - Groupes linéaires algébriques sur un corps parfait, Séminaire Bourbaki, 1960-1961, exposé 206.

" " - Domaines fondamentaux des groupes arithmétiques, Séminaire Bourbaki, 1962-1963, exposé 257.

A.GROTHENDIECK - Sur quelques points d'algèbre homologique, Tôhoku Math. J., 9, 1957, p.119-221.

" " - A general theory of fibre spaces with structure sheaf, Univ. Kansas, Report n°4, 1955.

" " - Technique de descente et théorèmes d'existence en géométrie algébrique. II : le théorème d'existence en théorie formelle des modules, Séminaire Bourbaki, 1959-1960, exposé 195.

" " - Eléments de géométrie algébrique (rédigés en collaboration avec J.DIEUDONNÉ), Publ. Math. IHES, 1960-...

D.HERTZIG - Forms of algebraic groups, Proc. Amer. Math. Soc., 12, 1961 p.657-660.

GHOSCHILD - Simple algebras with purely inseparable splitting fields of exponent 1, Trans. Amer. Math. Soc., 79, 1955, p.477-489.

" " - Restricted Lie algebras and simple associative algebras of characteristic p, Trans. Amer. Math. Soc., 80, 1955, p.135-147.

K.IWASAWA - On solvable extensions of algebraic number fields, Ann. of Maths., 58, 1953, p.548-572.

" " - On Galois groups of local fields, Trans. Amer. Math. Soc., 80, 1955, p.448-469.

" " - A note on the group of units of an algebraic number field, Journ. Maths. pures et appl., 35, 1956, p.189-192.

N.JACOBSON - Composition algebras and their automorphisms, Rend. Palermo, 7, 1958, p.1-26.

Y.KAWADA - On the structure of the Galois group of some infinite extensions, I, Journ. Fac. Sci. Tokyo, 7, 1954, p.1-18 ; II, ibid., p.87-106.

" " - Cohomology of group extensions, Journ. Fac. Sci. Tokyo, 9, 1963, p. 417-431.

M.KNESER - Schwache Approximation in algebraischen Gruppen, Colloque de Bruxelles, 1962, p.41-52.

M.KNESER - Einfach zusammenhängende algebraische Gruppen in der Arithmetik, Proc. Cong. Stockholm, 1962, p.260-263.

M.KRASNER - Nombre des extensions d'un degré donné d'un corps p-adique (cinq notes), C.R. Acad. Sci., 254, 1962, p.3470-3472 ; ibid., 255.

S.LANG - On quasi-algebraic closure, Ann. of Maths., 55, 1952, p.373-390.

" " - Algebraic groups over finite fields, Amer. J. Math., 78, 1956, p.555-563.

" " - Some theorems and conjectures in diophantine equations, Bull. Amer. Math. Soc., 66, 1960, p.240-249.

S.LANG and J.TATE - Principal homogeneous spaces over abelian varieties, Amer. J. Math., 78, 1956, p.659-684.

M.LAZARD - Sur les groupes nilpotents et les anneaux de Lie, Annales ENS, 71, 1954, p. 101-190 (cité [L]).

" " - Groupes analytiques p-adiques Publ.Math.IHES, 26, 1965.

M.NAGATA - Note on a paper of Lang concerning quasi-algebraic closure, Mem. Univ. Kyoto, 30, 1957, p.237-241.

T.ONO - Arithmetic of algebraic tori, Ann. of Maths., 74, 1961, p.101-139.

" " - On the Tamagawa number of algebraic tori, Ann. of Maths., 78, 1963, p.47-73.

G.POITOU - Séminaire Lille, 1962-1963, Dunod, 1967.

M.ROSENLICHT - Some basic theorems on algebraic groups, Amer. J. Math., 78, 1956, p.401-443.

" " - Some rationality questions on algebraic groups, Ann. Mat. Pura Appl., 43, 1957, p.25-50.

I.ŠAFAVERIČ - Sur les p-extensions [en russe], Math. Sbornik, 20, 1947, p.351-363 [Amer. Math. Soc. Transl., Séries 2, t.4, p.59-72]

" " - Sur l'équivalence birationnelle des courbes elliptiques [en russe], Doklady Akad. Nauk SSSR, 114, 1957, p.267-270.

" " - Corps de nombres algébriques [en russe], Proc. Cong. Stockholm, 1962, p.163-176.

" " - Extensions à points de ramification donnés [en russe, avec résumé en français], Publ. Math. IHES, n°18, 1963.

J-P.SERRE - Corps locaux, Act. Sci. Ind. n° 1296, Paris 1962 (cité [CL]).

" " - Cohomologie galoisienne des groupes algébriques linéaires, Colloque de Bruxelles, 1962, p.53-67.

" " - Structure de certains pro-p-groupes (d'après DEMUŠKIN), séminaire Bourbaki, 1962-1963, exposé 252.

" " - Sur les groupes de congruence des variétés abéliennes, Izv. Akad. Nauk SSSR, 28, 1964.

S.SHATZ - Cohomology of artinian group schemes over local fields, Ann. of Math., 79, 1964, p.411-449.

T.SPRINGER - On the equivalence of quadratic forms, Proc. Acad. Amsterdam, 62, 1959, p.241-253.

" " - The classification of reduced exceptional simple Jordan algebras, Proc. Acad. Amsterdam, 63, 1960, p.414-422.

" " - Quelques résultats sur la cohomologie galoisienne, Colloque de Bruxelles, 1962, p.129-135.

R.SWAN - Induced representations and projective modules, Ann. of Maths., 71, 1960, p.552-578.

" " - The Grothendieck ring of a finite group, Topology, 2, 1963, p.85-110.

J.TATE - WC-groups over p-adic fields, Séminaire Bourbaki, 1957-1958, exposé 156.

" " - Galois cohomology of abelian varieties over p-adic fields, notes polycopiées rédigées par S.LANG, 1959.

" " - Duality theorems in Galois cohomology over number fields, Proc. Cong. Stockholm, 1962, p.288-295.

J.TITS - Groupes simples et géométries associées, Proc. Cong. Stockholm, 1962, p.197-221.

" " - Groupes semi-simples isotropes, Colloque de Bruxelles, 1962, p.137-147.

A.WEIL - On algebraic groups and homogeneous spaces, Amer. J. Math., 77, 1955, p.493-512.

" " - The field of definition of a variety, Amer. J. Math., 78, 1956, p.509-524.

" " - Algebras with involutions and the classical groups, J. Ind. Math. Soc., 24, 1960, p.589-623.

" " - Adeles and algebraic groups (notes by M. DEMAZURE and T. ONO), Inst. Adv. St., Princeton, 1961.

E.WITT - Theorie der quadratischen Formen in beliebigen Körpern, J.Crelle, 176, 1937, p.31-44.

BIBLIOGRAPHIE SUPPLÉMENTAIRE

J.AX - Proof of some conjectures on cohomological dimension, Proc.Amer.Math.Soc., 16, 1965, p.1214-1221.

A.BOREL - Linear algebraic groups (notes by H.BASS), Benjamin, New York, 1969.

A.BOREL et J.TITS - Groupes réductifs, Publ.Math.IHES, 27, 1965.

F.BRUHAT et J.TITS - Groupes algébriques simples sur un corps local, Proc.Conf.Local Fields, Springer, 1967. (Voir aussi C.R., 263, 1966, p.598-601, 766-768, 822-825, 867-869, ainsi que Publ.Math.IHES, 1973-...)

A.BRUMER - Pseudocompact algebras, profinite groups and class formations, J.Algebra, 4, 1966, p.442-470.

J.W.S.CASSELS et A.FRÖHLICH (ed.) - Algebraic Number Theory, Acad.Press, 1967.

M.DEMAZURE et P.GABRIEL - Groupes algébriques, Masson, 1970.

S.P.DEMUŠKIN - Sur les 2-extensions d'un corps local (en russe), M.Sibirsk, 4, 1963, p.951-955.

" " - 2-groupes topologiques définis par un nombre pair de générateurs et une relation (en russe), Izv.Akad. Nauk SSSR, 29, 1965, p.3-10.

J.GIRAUD - Cohomologie non abélienne, Springer, 1971.

E.S.GOLOD et I.R.ŠAFAREVIČ - Sur la tour des corps de classes (en russe), Izv.Akad.Nauk SSSR, 28, 1964, p.261-272.

M.J.GREENBERG - Lectures on Forms in Many Variables, Benjamin, 1969.

G.HARDER - Über die Galoiskohomologie halbeinfacher Matrizengruppen,Teil I, Math.Z., 90, 1965, p.404-428; Teil II, Math. Z., 92, 1966, p.396-415.

" " - Bericht über neuere Resultate der Galoiskohomologie halbeinfacher Gruppen, Jahr.DMV, 70, 1968, p.182-216.

A.V.JAKOVLEV - Le groupe de Galois de la clôture algébrique d'un corps local (en russe), Izv.Akad.Nauk SSSR, 32, 1968, p.1283-1322.

Y.KAWADA - Class Formations, AMS Proc.Symp.Pure Math. XX, 1969 Number Theory Institute, p.96-114.

M.KNESER - Galoiskohomologie halbeinfacher algebraischer Gruppen über p-adischen Körpern, Teil I, Math.Z., 88, 1965, p.40-47; Teil II, Math.Z., 89, 1965, p.250-272.

H.KOCH - Galoissche Theorie der p-Erweiterungen, Math.Mono. 10, Berlin, 1970.

J.LABUTE - Classification of Demuškin groups, Canad.J.Math., 19, 1967, p.106-132.

" " - Demuškin groups of rank $\aleph_0$, Bull.Soc.Math.France, 94, 1966, p.211-244.

" " - Algèbres de Lie et pro-p-groupes définis par une seule relation, Invent.Math., 4, 1967, p.142-158.

S.LANG - Rapport sur la cohomologie des groupes, Benjamin, 1966.

" " - Algebraic Number Theory, Add.-Wesley, 1970.

D.QUILLEN - The spectrum of an equivariant cohomology ring I, Ann.of Math., 94, 1971, p.549-572; II, ibid., p.573-602.

J-P.SERRE - Sur la dimension cohomologique des groupes profinis, Topology, 3, 1965, p.413-420.

" " - Sur les groupes de congruence des variétés abéliennes II, Izv.Akad.Nauk SSSR, 35, 1971, p.731-737.

" " - Cohomologie des groupes discrets, Ann.Math.Studies, 70, Princeton, 1971, p.77-169.

S.S.SHATZ - Profinite groups, arithmetic, and geometry, Ann. Math.Studies, 67, Princeton, 1972.

T.A.SPRINGER - Nonabelian H^2 in Galois cohomology, AMS Proc. Symp.Pure Math. IX, 1966, p.164-182.

R.STEINBERG - Regular elements of semi-simple algebraic groups, Publ.Math.IHES, 25, 1965.

A.WEIL - Basic Number Theory, Springer, 1967.

ERRATA

II-13, prop.11. Dans la seconde partie de l'énoncé, remplacer l'hypothèse " $N < \infty$ " , qui est insuffisante, par " k' est de type fini sur k " .

III-29, ligne 3 du bas. Remplacer " sont des entiers de k " par " ont une valuation > 0 " .

V-1. Le module induit est désigné par M_V^G, alors qu'au Chapitre I, n°2.5, on le notait M_G^V .

B-2, ligne 18 du bas. Remplacer " GHOSCHILD " par " G.HOCHSCHILD ".

SUPPLÉMENTS

Chap.I, n°3.3. <u>Dimension cohomologique des sous-groupes et des extensions</u>.

Soit H un sous-groupe ouvert d'un groupe profini G, et soit p un nombre premier. Supposons que $cd_p(H) < \infty$. D'après la prop.14, on a :

$$cd_p(G) = cd_p(H) \quad \text{ou} \quad cd_p(G) = \infty .$$

On peut montrer que le second cas ne se produit <u>que si</u> G <u>contient un élément d'ordre</u> p. Voir là-dessus :

J-P.SERRE, <u>Sur la dimension cohomologique des groupes profinis</u>, Topology, <u>3</u>, 1965, p.413-420,

" " , <u>Cohomologie des groupes discrets</u>, Ann.Math.Studies, n°70, Princeton 1971, p.98-99.

—

Chap.I, n°4.4. <u>Un théorème de Šafarevič</u> .

La " conjecture de Šafarevič " citée page I-43 a été démontrée par Golod et Šafarevič sous la forme plus précise suivante :

<u>Si</u> G <u>est un</u> p-<u>groupe fini</u>, <u>on a</u> $r(G) > \frac{1}{4}(d(G) - 1)^2$.

En conséquence, le problème de la tour des corps de classes est résolu : il existe des corps ayant une tour infinie. Golod et Šafarevič en donnent comme exemple le corps $\underline{Q}(\sqrt{-N})$, avec $N = 3.5.7.11.13.17.19 = 4849845$.

Voir :

E.S.GOLOD et I.R.ŠAFAREVIČ. <u>Sur la tour des corps de classes</u> (en russe). Izv.Akad.Nauk SSSR, <u>28</u>, 1964, p.261-272.

Voir aussi les exposés de Roquette (dans Cassels-Fröhlich) et Koch, qui donnent des inégalités améliorées, dues à Vinberg et Gaschütz.

—

p.I-47 et p.II-32. La structure des groupes de Demuškin dans le cas exceptionnel $p = 2$ a été déterminée par Demuškin (Izv., 1965) et Labute (Canad.J., 1967).

—

p.II-8, Remarque. La réponse est négative, comme l'a observé M.Auslander. En effet, soit k_o un corps de caractéristique 0, non algébriquement clos, de dimension 1, et n'admettant aucune extension abélienne non triviale (par exemple l'extension résoluble maximale de $\mathbb{Q}$). Si l'on pose $k = k_o((T))$, on a $Br(k) = 0$, cf.[CL],th.2, p.194, et l'on voit facilement qu'il existe des extensions finies k' de k avec $Br(k') \neq 0$; on a donc bien $\dim(k) \geqslant 2$.

—

p.II-10, Remarque 2. La question a été résolue négativement par J.Ax (Proc.AMS, 1965) : il existe un corps k de caractéristique 0, de dimension 1, qui n'est pas (C_1). Pour le construire, on part d'un corps k_o de caractéristique 0, contenant les racines de l'unité, et tel que le groupe de Galois $G(\bar{k}_o/k_o)$ soit isomorphe à $\mathbb{Z}_2 \times \mathbb{Z}_3$; on construit facilement un polynôme homogène $f(X,Y)$, de degré 5, à coefficients dans k, et qui ne représente pas zéro. Soit $k_1 = k_o((T))$, et soit k le corps obtenu en adjoignant à k_1 les racines n-ièmes de T, pour tout n non divisible par 5. On a

$$G(\bar{k}/k) = \mathbb{Z}_5 \times G(\bar{k}_o/k_o) = \mathbb{Z}_5 \times \mathbb{Z}_2 \times \mathbb{Z}_3 \quad , \qquad \text{d'où } \dim(k) = 1.$$

D'autre part, le polynôme

$$F(X_1,\ldots,X_5,Y_1,\ldots,Y_5) = \sum_{i=1}^{i=5} T^i f(X_i,Y_i)$$

est de degré 5, et ne représente pas 0. Le corps k n'est donc pas (C_1).

Par une construction analogue, mais plus compliquée, Ax construit même un corps k de dimension 1 qui n'est (C_r) pour aucun r.

—

p.II-15. La conjecture faite dans la remarque a été démontrée par J.Ax (Proc.AMS, 1965).

—

p.II-18. On sait maintenant, grâce à Terjanian, qu'un corps p-adique ne vérifie pas la condition (C_2), i.e. que la " conjecture d'Artin " est fausse. Voir là-dessus Greenberg, Lectures on Forms in Many Variables, Chap.7.

—

p.III-14. La " <u>conjecture I</u> " a été démontrée par R.Steinberg (Publ.Math.IHES, 1965), comme conséquence du résultat suivant :

Soit L un groupe algébrique linéaire connexe défini sur un corps parfait k. On suppose que L est " quasi-déployé " , i.e. contient un sous-groupe de Borel défini sur k. Alors, pour tout $x \in H^1(k,L)$, il existe un tore maximal T de L, défini sur k, tel que x appartienne à l'image de $H^1(k,T) \to H^1(k,L)$.

Lorsque $\dim(k) \leqslant 1$, on a $H^1(k,T) = 0$, d'où $H^1(k,L) = 0$.

—

p.III-23 et III-26. La " <u>conjecture II</u> " , ainsi que les conjectures du n°3.3, ont été démontrées dans les cas particuliers suivants :

a) k est une extension finie de $\underline{\underline{Q}}_p$ (M.Kneser, Math.Z., 1965 - voir aussi Bruhat-Tits).

b) k est un corps de nombres totalement imaginaire, et L ne contient pas de facteur de type E_8 (G.Harder, Math.Z.,1965-66).

Des résultats substantiellement équivalents ont été annoncés par B.Veisfeiler (Dokl.1964).

—

p.III-44, <u>Remarque</u> 1. La conjecture en question ("principe de Hasse" dans le cas simplement connexe) a été démontrée par G.Harder lorsque L n'a pas de facteur de type E_8 .

—

p.III-44, <u>Remarque</u> 2. La question posée par Borel a été résolue par Ono (Ann.of Math., 82, 1965).

—

1947-1
5-36

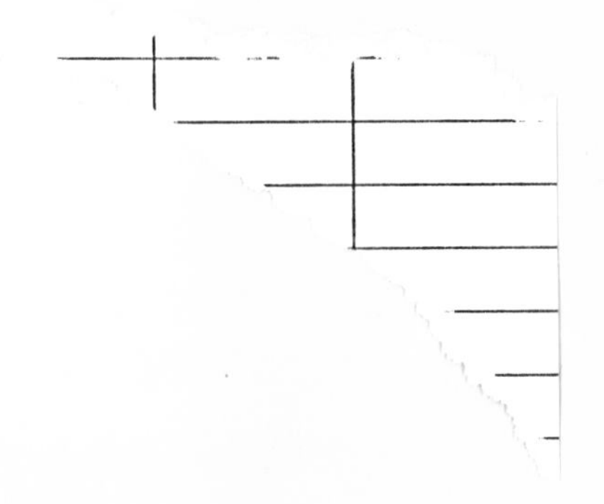
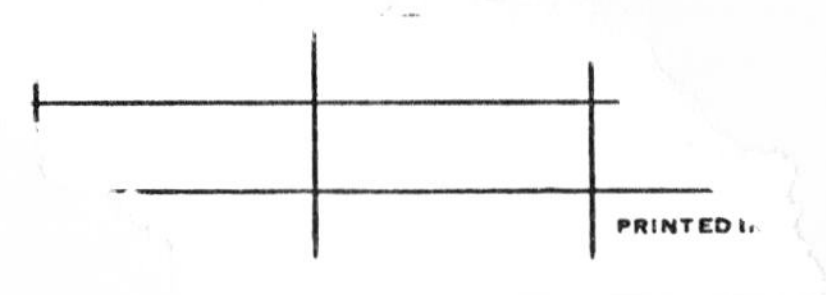

COHOMOLOGIE GALOISIENNE; COURS AU COLLaE
QA3 .L2 NO 5 1973

A17900 924346